Rosa Regás
Azul

Rosa Regás

Azul

Premio Nadal 1994

Ediciones Destino
Colección
Áncora y Delfín
Volumen 720

© Rosa Regás, 1994
© Ediciones Destino, S.A., 1994
Consell de Cent, 425. 08009 Barcelona
Primera edición: febrero 1994
ISBN: 84-233-2350-1
Depósito legal: B. 3.205-1994
Impreso por Printer Industria Gráfica, S.A.
C.N. II. 08620 Sant Vicenç dels Horts (Barcelona)
Impreso en España - Printed in Spain

*Para Storni,
esta historia que le pertenece*

Pone al copiarte mi espejo
un poco de oscuridad.
El cielo es azul celeste
y azul marino la mar

GERARDO DIEGO

I

«*Can the transports of first love be calmed, checked, turned to a cold suspicion of the future by grave quotation from a work on Political Economy? I ask —is it conceivable? Is it possible? Would it be right? With my feet on the very shores of the sea and about to embrace my blue-eyed dream, what could a good-natured warning as to spoiling one's life mean to my youthful passion?*»

JOSEPH CONRAD, *A personal record*

La isla no tenía ningún atractivo especial como no fuera la gran mole de piedra roja que acumulaba el sol desde el amanecer. Por el este se abatía en picado sobre el puerto y por el oeste descendía menos abruptamente hasta formar un valle pedregoso y árido. Desde lejos se destacaba altiva como un vigía, como un faro natural amparando las breves laderas cubiertas de matorral reseco y espinoso.

La mayor parte de la superficie y del litoral era tan rocosa que al cabo de los años, cuando ya no quedara rincón alguno del Mediterráneo sin explo-

11

rar, sólo una pequeña playa de marga habría de salvar a sus escasos y derrotados habitantes del ostracismo turístico. Sin embargo era de difícil acceso porque no podía llegarse a ella más que por un estrecho camino que trepaba entre ruinas desde el muelle sur, descendía de nuevo y se borraba a veces, o burlaba al caminante y le llevaba por veredas sin retorno entre construcciones medio derruidas, sin techo, de ojos vacíos y suelos rellenos de cascotes, de cuyas ocultas entrañas brotaba a veces, solitaria y torturada, una higuera. Al retomar el camino, o lo que el desuso había dejado de él, ya podía verse a lo lejos el agua clara y los bajos fondos plagados de erizos, pero antes de llegar se desparramaba sin remedio en un terreno de marismas y una breve playa tosca, de arena roja y ardiente donde nacían yerbajos y matojos y se amontonaban los detritus.

Exceptuando el puerto era la única salida al mar. En el resto de la costa no había más que rocas que se precipitaban en riscos sobre el agua, paredes de escollos donde batían sin descanso las olas aún con el mar en calma, tan verticales que al filo de mediodía el perímetro completo de la costa quedaba rodeado de un exiguo cinturón de sombra, un relieve sobre el azul opaco, aplastado por la luz, que luchaba por mantener una ínfima zona de frescor frente a la mole rocosa.

Después de que los bombardeos de los primeros años de la Segunda Guerra Mundial la hubieron despojado de sus barcos y de sus bienes, de sus casas y de sus iglesias, la existencia de aquel pedazo de tierra olvidado parecía no tener otra razón de ser que la de secarse y resecarse hasta perder el color.

El atractivo que más éxito habría de tener cuando finalmente fuera invadida por las hordas destructoras del turismo era la cueva azul cuyas excelencias, junto a su historia desfigurada, cantarían y multiplicarían las guías y los folletos. A quien no conociera palmo a palmo los arabescos del litoral le habría sido muy difícil descubrirla. Tenía la entrada casi al nivel del mar y bastaba que se rizaran un poco las olas para que la misma altura que les daba la corriente cerrara la entrada a golpes de espuma y estruendo. Pero para los pocos nativos que quedaban en el lugar no había confusión posible. Incluso los días en que el levante azotaba las rocas con ira descontrolada, sabían cómo aprovechar la resaca de un embate para, a golpes de remo y con buen cuidado en mantener la cabeza gacha casi a la altura de las chamuceras, deslizar con una sacudida precisa la barca dentro de la caverna. Una vez en el interior, el agua se volvía viscosa, oscura, inmóvil. El ámbito mantenía una temperatura fría, de un frío compacto que no calaba, que permanecía como un apósito en la superficie de la piel y transformaba el bramido del mar exterior en un eco sordo de concha marina gigantesca, en un sonido aterciopelado, envolvente que cerraba el espacio con mayor contundencia aún que las mismas rocas que lo componían. La bóveda sólo podía verse con la ayuda de una linterna y sus paredes lisas, sudadas y rezumadas, de un azul intenso y oscuro, irisado por la refracción del haz de luz que se concentraba en la monumental arista horizontal de la entrada, nada tenían que ver con el aspecto áspero, escabroso, rojizo que mostraba su otra cara bajo el sol.

Poco más había en ella: el pequeño café con sus tres mesas desvencijadas bajo las moreras de hojas carcomidas en la esquina de la plazoleta que se abría en el centro del puerto, la hilera de casitas de construcción reciente a ambos lados, con la carpintería pintada de azul pálido a imágen de las que arrasaran los bombardeos, el antiguo mercado todavía con algunas columnas de mármol en pie y sus mostradores, la vieja central eléctrica y el generador elemental del muelle norte que daba luz a las bombillas de las escasas farolas de las ribas, y del otro lado, más allá de la playa de bajos fondos y erizos, una cantera que se había utilizado por última vez hacía años para reconstruir la iglesia ortodoxa cuyas dependencias habían ido extendiendo durante siglos, columnas, cornisas y cimborrios tan agarrados a la base de la roca principal que habían acabado confundiéndose con ella poco antes de quedar despanzurrados por las bombas. En el cabo que por el sur cerraba la bocana del puerto se había construido hacía pocos años una mezquita y se había urbanizado una pequeña plazoleta en el mismo muelle que en invierno el viento del noroeste se cuidaba de limpiar a embestidas.

Eso era todo lo que podía verse desde el mar, porque el puerto avasallado por la roca roja, de cuya arista colgaban aún vestigios cobrizos del castillo que le dio el nombre, no admitía más de tres o cuatro desordenadas hileras de callejas oscuras y apenas recompuestas. Y a mediodía, con la reverberación del sol que la inmensa mole había acumulado durante su historia milenaria sobre las ribas y el mar enclaustrado de la bahía, la intensidad del calor se convertía en plomo. Y se deslizaban furtivos los dos escasos centenares de personas que quedaban en el pueblo, envejecidos y anquilosados, y permanecían en las sombras de sus ruinas o se desplazaban con cautela abrumados por la confusión y el miedo, como si hubieran sobrepasado el umbral a partir del cual ya no fuera posible el retorno, como se convierte en dos la cuerda tensada un instante más o a partir de una repetición la caricia se muda en tormento, o se transforma en odio, resentimiento y dolor el amor que va más allá de su propio límite.

Sin embargo ninguno de ellos había oído hablar de esa isla. Ni jamás habrían conocido el letargo de sus orillas calcinadas ni la historia —o el sortilegio, ¿quién podía saberlo?— que escondían sus ruinas sin aristas, de no haber sido por una inoportuna avería del motor. Quizás Leonardus habría reparado en ella al consultar la carta o tal vez en la ruta hacia Antalya la habrían visto a lo lejos como una sombra más cuyo perfil se transformaría al alba en una fortaleza rosada ocultando sus secretos.

Habían pasado la noche anterior fondeados en una cala cerrada por rocas oscuras a la que llegaron al atardecer sorteando un corredor de islotes espaciados y escalonados ante la costa que la resguardaban de vientos y corrientes. Cenaron una vez más protegidos del relente bajo el toldo y dejaron correr las horas con la seguridad de que ya nada iba a estropear ese viaje que tocaba a su fin. Martín Ures había aceptado la renovación de su contrato con una de las productoras de Leonardus por otros seis años —tres películas y seis nuevas series de televisión; Andrea parecía haber recuperado un poco el color y quizá una sombra de la alegría que tuvieron alguna vez sus grandes ojos azules, y Chiqui pese a ser mucho más joven que todos ellos juraba a carcajadas que se había divertido como nunca. No había habido tensiones, ni peleas, ni accidentes, el tiempo había sido bueno y podían irse a casa en paz.

Tom, el chico danés que Leonardus había contratado ese verano, se levantó poco después del amanecer. El cabello largo, rubio y lacio le caía sobre la frente hasta cubrirle los ojos, pero sin tomarse la molestia de apartarlo con la mano salió del camarote de popa dejando tras de sí el caótico desorden de sábanas, almohadas, casetes y camisetas que le había acompañado desde que iniciaron el viaje diez días antes, se pasó por la cabeza un ancho jersey de punto, saltó al chinchorro amarrado al chigre de es-

15

cota, soltó el nudo y agarrando el cabo de popa con las manos en alto lo hizo deslizar sobre el cristal gris del agua hasta la roca donde lo había amarrado la noche anterior.

Ni el suave balanceo del *Albatros* al liberarse por la popa ni al poco rato el martilleo métalico al levar el ancla, despertaron a Martín Ures ni a Andrea, que dormía a su lado. Pero cuando la cadena quedó estibada en la roda como la serpiente en la oquedad de la pedriza y se hizo de nuevo el silencio, abrió los ojos con cautela, temeroso incluso de la lechosa luz del alba. Luego se incorporó y miró a su alrededor buscando lo que le había despertado. Recogió del suelo una botella vacía de whisky que rodaba con el vaivén del barco, miró a su mujer y con la pesadez y lentitud de la resaca estuvo unos minutos pendiente de su respiración uniforme y acompasada que emitía un silbido profundo como el lamento de un animal. Tenía la cabeza echada hacia atrás y la mano extendida hasta chocar con las cuadernas en un gesto de descuido involuntario, y la sábana que le envolvía una pierna había adquirido con el sueño la textura de un lienzo. Los párpados semientornados escondían apenas las pupilas azules y le daban un aire todavía más ausente que el sueño profundo. Habría dormido inquieta, porque estaba cruzada en la litera y él quizá se habría despertado al sentirse arrinconado contra la madera. El camarote era pequeño y seguía la forma de la amura estrechándose hacia la proa. Fue a poner la mano sobre el muslo pero se detuvo. Hacía calor y a cada inspiración Andrea repetía ese mismo ruido cascado.

—Ronca —pensó Martín concentrándose en el silbido, la vista opaca y la mente confusa—, ronca y dice que no ronca.

Después inmovilizó la mirada en el vaho del ojo de buey cuya cortina semientornada descorrió con sumo cuidado para evitar el ruido y los gestos bruscos. Y, perdida toda esperanza de volver a dormir, se puso en pie sobre la cama y sacó la cabeza por la escotilla.

El motor se había puesto en marcha y el *Albatros* tras un breve titubeo acertó el rumbo y comenzó a deslizarse por el fresco del amanecer abriendo las aguas mansas, brillantes, vírgenes de viento, al tiempo que las explosiones del motor partían el silencio, y el susurro de la espuma huía del casco y se deshacía en la estela. Sorteó los islotes y dejó atrás los telones oscuros de la cordillera, y cuando finalmente salió a mar abierto el sol inmenso y rojo apareció en el cielo e inundó de luz el aire con tal contundencia que dejó el paisaje brumoso y sin color.

Tom, con los auriculares puestos, sostenía con una mano la lata de cocacola y hacía oscilar con la otra la rueda del timón para mantener el rumbo, fijos en un punto del horizonte los ojos cubiertos casi por el pelo rubio, blanco, lacio, que la sal y el sol habían convertido en estopa.

Casi siempre habían navegado a motor. Porque aunque Leonardus se vanagloriaba de ser un hombre de mar, cuando llegaba el momento de izar las velas daba órdenes confusas, se atolondraba y acababa exigiendo que Tom las arriara por prudencia hasta que las condiciones fueran favorables, decía. Era un hombre corpulento que ni los años ni el aguado whisky que bebía a todas horas habían privado de la agilidad que debía de tener cuando era joven y se buscaba la vida en el puerto de Sidón. Le gustaba hablar de los tiempos de su juventud y para otorgar a sus palabras la mayor credibilidad posible adquiría al hacerlo un porte mayestático y el tono reposado de la voz de los ancianos, mientras rizaba sin parar con dos dedos el extremo de su poblado mostacho negro. Se entretenía en detalles minuciosos sobre la humildad de su vivienda, la cantidad de hermanos que compartían el mismo lecho, las triquiñuelas diarias para llegar a casa con algunas monedas, pero exceptuando que había llegado a Nápoles escondido entre las maderas y los sacos de pistachos de un carguero chipriota, nadie supo jamás cómo aquel muchacho escuálido que conocía los rincones más ocultos de todos los puertos del Levante se había convertido veinte años después en el magnate internacional, como le gustaba llamarse a sí mismo, influyente y poderoso en todos los canales de distribución y producción de programas de televisión, de cine y de vídeo —el mundo de la imagen, repetía él a voces distorsionando las palabras— que Martín había conocido en casa de Andrea años atrás. Se decía de él que era astuto y hábil, capaz de traicionar a su mejor amigo sin que se enterara; que con esos ojos pequeños, oscuros y penetrantes podía conocer las más recónditas intenciones de sus oponentes y en una negociación llevarles la delantera con una maniobra rápida y taimada. Se decía también que hablaba a la perfección infinidad de idiomas y los chapurreaba y mezclaba deliberadamente para que los demás hablaran sin temor a ser comprendidos, que mantenía a mujeres e hijos esparcidos por el planeta, que disponía de aviones particulares y sin embargo no los utilizaba más que cuando viajaba solo, que el cine y la televisión no eran sino coberturas que escondían su verdadera condición de hombre de negocios operando en las zonas ocultas de los poderes del mundo. Tenía fama de bordear siempre el peligro, saber hacerse indispensable por los resortes que conocía y manejaba y porque sin sucumbir jamás al cotilleo o a la confidencia parecía informado de cualquier minucia que ocurriera en el ambiente más recóndito. Y además, se decía, cuando las cosas no le iban bien, era un experto en caer de pie. Saltaba siempre de una ciudad a otra, de un hotel a otro, con una mujer al lado, nunca la misma, y aunque se sabía que tenía una familia que vivía en Pérgamo a la que visitaba muy de tarde en tarde, nadie la había visto jamás ni siquiera se conocía el número de miembros que la componían y Martín estaba convencido de que, real o no, servía a sus intereses porque, como el propio Leonardus gustaba de repetir, siempre hay una solución para todo, una solución perfecta que hay que saber encontrar o en su defecto, inventar.

Y estaba tan poco habituado a recibir órdenes y consejos que, cuando le ordenaba una maniobra fallida, apenas podía soportar el silencio de Tom, más admonitorio que las protestas y las voces. Intentó navegar a vela el primer día, quizá también el segundo, pero después, exceptuando algunos atardeceres plácidos cuando entraba la brisa de tierra y tenían el viento de popa, siempre habían ido a motor. En aquellas raras ocasiones Tom le cedía la rueda del timón, iba a sentarse a horcajadas sobre el bauprés y bebía una cocacola tras otra mientras llenaba el silencio del mar con la música de sus auriculares.

¡Lo importante no es vivir, lo importante es navegar!, bramaba Leonardus llevado de la euforia cuando las velas cogían todo el trapo y navegaban de bolina. Y repetía a gritos: ¡Navegar! ¡Navegar! Atraía a su lado entonces a Chiqui y con la mano que le dejaba libre la rueda del timón recorría su cuerpo a conciencia para que el placer de la navegación fuera completo.

Aquel último amanecer surcaba el *Albatros* el agua quieta apenas rizada por la brisa que se levantaba con el día. Y así habían decidido navegar hasta llegar a Antalya al caer la tarde. Las previsiones del tiempo eran buenas y todo parecía estar en orden.

Una vez en puerto dormirían hasta el alba, a las cinco de la mañana iría a buscarles un coche que en unas pocas horas desandaría por las curvas encadenadas de la costa el camino que habían hecho por mar en aquellos días y les dejaría en el aeropuerto a las diez de la mañana para volar a Estambul. Leonardus saldría para Londres al cabo de media hora. Los demás contaban estar en Barcelona al anochecer.

Martín miró el mar sin verlo, entornando los ojos para que no le cegara el reflejo, la reverberación de cristal que había dejado el paisaje blanco de luz opaca. De un lado el mar abierto, del otro los telones de montañas tras los cuales se extendía ensoñada aún la Capadocia. Unas horas más y el viaje habría terminado.

—Un día *glorious*, uno más —dijo Leonardus asomando la cabeza por la escotilla del otro camarote de proa.

—¿Duerme? —preguntó Martín señalando con un gesto de la cabeza el fondo del camarote.

—Duerme —afirmó Leonardus con la cabeza.

—Siempre duerme. Pero es una preciosidad, ¿no?

Sí, era cierto, Chiqui era una preciosidad. Aunque no podría recordar las veces que le había conminado a reconocerlo desde que se encontraron en el aeropuerto de Barcelona.

—¿De dónde la has sacado? —le había preguntado Andrea entonces en un momento en que la chica había ido al quiosco de periódicos.

—¿No es una preciosidad? —preguntó Leonardus sin responder y miraba extasiado cómo se abría paso altiva y distante entre la multitud de viajeros y maletas. Se había acercado ya al mostrador y con la misma indiferencia, atusándose el plumero de cabellos que llevaba casi sobre la frente que la elevaba por lo menos diez centímetros más sobre el suelo, compró los paquetes de chicles que no había de dejar de mascar en todo el viaje.

Es cierto, era una preciosidad: tenía las piernas largas y morenas y piel de melocotón en el cuello y en los brazos. Excepto el plumero recogido en un elástico de flores doradas, el pelo suelto, rizado y rubio le llegaba hasta la cintura, y todo en ella tenía un leve punto de vulgaridad que la hacía aún más atractiva. Vulgaridad en algún gesto descoyuntado, tal vez un tanto desgarrado, o en la voz sin modular que mantenía un tono alto, monótono y con un deje gangoso, o quizás esos estribillos que repetía a cada rato para jalonar las frases de su vocabulario elemental. O la risa tosca también y estruendosa, sin motivo, que mostraba la hilera de dientes escandalosamente blancos y perfectamente colocados.

Andrea la había mirado sonriendo con una cierta condescendencia dedicada tal vez más a Leonardus, pero había también en su mirada borrosa, Martín se dio cuenta enseguida, una casi imperceptible sombra de displicencia. Ella jamás se habría atrevido a llevar botines de cuero negro sin medias en pleno verano, ni ese bolso desfondado de colorines que le colgaba del hombro hasta más abajo de la rodilla. O quizá el ceño ligeramente fruncido escondiera una cierta inquietud, el desasosiego de haber de competir casi desnuda durante más de una semana con una mujer, casi con una niña, veinte años más joven que ella.

Chiqui reía siempre porque sí o por llenar un silencio que confundía con el aburrimiento. Y cuando más tarde en el avión la oía desde el asiento de atrás, Martín con los ojos cerrados para no tener que hablar con nadie, atendió en el fondo de la memoria a las carcajadas de cristal, cantarinas, límpidas, matizadas, radiantes, de Andrea cuando la conoció, un reclamo al que él no se negaba jamás, un rastro para encontrarla en reuniones multitudinarias, en los entreactos de los conciertos, en las presentaciones de libros, en los *vernissages* —eran las épocas de sus amores clandestinos—, preparadísimos encuentros casuales en lugares públicos de la ciudad a la que él había llegado unos meses antes, donde se deslizaba con invitaciones que ella le proporcionaba, ella, una inteligente, desenvuelta y atractiva criatura de aquel mundo de profesionales e intelectuales que había tomado forma y consistencia al tiempo que se desvanecían los años de la posguerra.

Tú vienes de las tinieblas, le decía ella entonces, riendo siempre.

Hacia las nueve Leonardus abrió la puerta y se instaló en el camarote central para ordenar y guardar las cartas y los mapas. Martín se tumbó otra vez en la litera y procuró dormir pero sólo logró dejarse mecer por la modorra de la resaca que se acentuaba con la vibración del motor.

Sin embargo debió de dormirse más tarde porque hacia las diez de la mañana le despertó el silencio. El motor se había detenido y Leonardus, que ya había metido sus papeles en la cartera y se había tumbado junto a Chiqui, se encontró también sentado en la cama sin comprender qué ocurría ni dónde estaba.

—¿Hemos llegado? —Martín le oyó a preguntar a gritos, y casi inmediatamente abrió la puerta y atravesó a grandes pasos el camarote central. Martín se levantó y le siguió.

El *Albatros* se balanceaba sin ritmo ni gobierno, la rueda del timón giraba sobre sí misma, y Tom, que había levantado las tablas y manipulaba en las profundidades del motor, no atendía a las preguntas de Leonardus. Salió al fin y con un gesto indicó que no se pondría en marcha, pero en su cara de piel mate apenas había un gesto de contrariedad.

22

—Habrá que entrar en puerto y buscar un mecánico —dijo—. Se ha roto una pieza de la transmisión, creo. —Al comprender lo que ocurría, Leonardus, que luchaba por acabar de ponerse la chilaba, comenzó a jurar en lenguajes misteriosos. Después volvió al camarote, tropezó con la escalerilla y sacó otra vez las cartas que había doblado ya hasta encontrar la que buscaba, y sin acabar de desdoblarla ni extenderla, se caló las gafas que llevaba colgadas de una cadena y se puso a estudiarla con detenimiento.

—¿Cuánto hay hasta la costa? —le preguntó Martín.

—¡Yo qué sé! Cinco millas, veinte, cualquiera sabe con esa reverberación —rugió.

Cuando al poco rato subió a cubierta ya no hablaba más que en italiano, como si el malhumor que era incapaz de disimular le impidiera tramar la amalgama de palabras y expresiones que tan bien dominaba.

—¡A Castellhorizo! —ordenó—. Está a menos de quince millas y no quiero volver atrás. Es tierra griega, así que arría la bandera turca e iza la griega. —Se sentó en el banco de la bañera, dio un puñetazo brutal a la madera y ante la inutilidad de su gesto furibundo aulló contra el cielo azul—: *Porco Dio!*

Sin esperar nuevas órdenes Tom colocó de nuevo las planchas y dio un brinco para ir a soltar los cabos del foque. La vela se rizó sin decidirse aún hasta que después de dos o tres embates tomó viento y poco a poco Tom, jugando con el timón, logró corregir el rumbo del *Albatros* que se dirigió de nuevo hacia poniente hinchada la vela más de lo que cabía suponer por la calma de la mañana. Sólo entonces comenzó a soltar el cabo de la mayor. Rechinó el chigre de escota y la vela fue trepando por el mástil hasta llegar a la cruceta. La botavara dio varios

tumbos y después de dos o tres inocentes traslucha-
das también ella se acopló a las maniobras del timón. Tom dejó que el viento llenara todo el trapo de
la mayor mientras sostenía el contrapunto del foque; fijó entonces la botavara con la escota y se hizo
de nuevo el silencio sobre el tenue murmullo rítmico y acompasado de la proa que se abría paso
otra vez en las aguas plácidas y silenciosas de la mañana. Leonardus, enfurruñado, no atendía a los movimientos de Tom ni, por una vez, daba órdenes. Al
poco rato apareció Chiqui en cubierta despeinada,
medio dormida y casi desnuda, y comenzó a untarse
con cremas mirando alternativamente a Tom y a
Leonardus sin demasiado interés. Andrea y Martín
seguían en su camarote. En la inmensidad del mar
en calma el *Albatros* parecía no avanzar, sólo de vez
en cuando los bordos que hacía Tom para recoger el
escaso viento, el batir de las velas y el alboroto de
las drizas, insinuaban un cierto movimiento. Rumbo a la isla navegaron hasta el mediodía mantenien-
do a babor la desmedida pared del continente sin
vestigios de pueblos ni construcciones que las brumas del bochorno escondían en las invisibles vaguadas y declives de los montes de la Lycia.

A Martín no le gustaba el mar. Llevaba más de
una semana a bordo y apenas podía disimular esa
persistente sensación de angustia. Si se quedaba en
la cabina leyendo sentía un peso en el estómago, una
leve sensación de mareo que le impedía continuar;
si subía a cubierta el sol le anonadaba y el constante
martilleo del motor le abrumaba. A veces el viento
era frío y aun con sol había que bajar al camarote a
buscar un jersey; casi siempre, sin embargo, el calor
era tan sofocante que ni con la brisa podía respirar.

Y cuando al atardecer entraba el fresco, se sentara donde se sentara siempre había bajo sus pies una cuerda, un cabo decían, absolutamente imprescindible en aquel momento, o saltaba Tom sobre sus rodillas para pasar a proa, o le apartaba para abrir una gaveta escondida en el lugar exacto donde estaban las piernas. Y ese olor vagamente impregnado de gasóleo o la humedad que se densificaba al caer la noche y mojaba los asientos, los papeles, incluso la piel y la cara. Le despedazaban los mosquitos cuando fondeaban en una cala aun antes de haber comenzado a cenar, y si dormían en puerto los ruidos y las voces del muelle le impedían dormir. Y cuando después de una noche en vela, agotado le vencía el sueño al amanecer, «la vida de la mar», como decía Leonardus dando voces en cubierta, exigía que se levantara casi al alba.

Pero sobre todo odiaba navegar, horas interminables en las que avanzaban hacia un punto que se manifestaba a cámara lenta, un plano demasiado largo para mantener el interés. Se contenía para no preguntar cuánto faltaba porque entendía que esas cosas no se preguntan en el mar. Y cuando los veía iniciar una maniobra o fondear, no hacía más que dar tumbos por cubierta sin saber qué se esperaba de él, porque no comprendía ni la jerga marinera mitad italiana mitad inglesa en la que se entendían Tom y Leonardus ni se daba cuenta de que habían llegado a su destino, porque nunca supo tampoco cuál era el destino, el programa ni, menos aún, el objetivo de navegar. La mayor parte del tiempo estuvo tumbado boca arriba en la litera de su camarote deseando llegar a tierra firme donde sin embargo hasta por lo menos media hora después de haber pisado el muelle no desaparecía esa molesta impresión de balanceo que no lograba quitarse ni siquiera durante el sueño, mientras oía los gritos que daba Leonardus de pie en la proa con el vaso de whisky levantado contra el cielo: ¡Quien ama la mar, ama la rutina de la mar!, vociferaba. ¿A qué venía esa mitificación del mar, de la vida del mar, de la navegación? ¿Qué diferencia había entre esa rutina y el aburrimiento?, pensaba Martín, quizá porque nunca logró adecuar su pensamiento al ritmo y contrarritmo del mar ni había sabido encontrar ese tiempo distinto en el que parecían vivir los demás. A veces cuando navegaban con el sol de frente los miraba desde el banco de la bañera donde se había refugiado buscando la sombra errante de la vela. Chiqui inmóvil a todas horas se desperezaba únicamente para untarse una vez más, tan inmóvil y aplastada contra el suelo que su cuerpo desnudo seguía los vaivenes del barco sin apenas separarse de la cubierta. Leonardus siempre con un cigarrillo en la boca subía y bajaba las escalerillas para consultar el compás, las cartas de navegación, o manipular la radio y conocer la previsión del tiempo, y al pasar junto a ella le daba palmadas en los muslos desnudos que siempre provocaban la misma reacción: ¡Quita ya, pesao!

El que ha nacido junto al mar, el que aun sin verlo cuenta con el límite azul del horizonte y está hecho a la brisa húmeda y salina que le llega al atardecer, configura su mundo en unos límites a partir de los cuales el paisaje se allana y alcanza el infinito. Y si camina tierra adentro busca detrás de cada loma la línea azul que ha de devolverle la orientación precisa para no sentirse perdido entre montes y llanuras, entre calles y plazas, saber dónde está y encontrar el camino y la salida. Pero Martín no conoció el mar hasta mucho más allá de la adolescencia y nunca dejó de considerarlo un elemento extraño, misterioso y amenazador.

Andrea en cambio, si bien no era ahora capaz de

saltar sola al muelle y había que darle la mano para atravesar la pasarela, aun con esos vértigos que habían comenzado hacía unos años, con la debilidad tan manifiesta en su rostro y en sus brazos transparentes y un tanto flácidos, vivía a bordo sin acusar la menor molestia y se movía en el barco con extrema normalidad. Cuando navegaban a pleno sol, embutido el sombrero de paja hasta las cejas para protegerse la piel, se sentaba en la proa abrazada al palo e inerte como un mascarón fijaba en un punto la mirada sin alterarla durante mucho rato hasta que de repente parecía descubrir que Martín estaba en cubierta. Se levantaba entonces y agarrada con fuerza a los obenques pasaba de la proa a la popa e iba a reunirse con él. Martín abría otra vez el libro e intentaba disimular esa mezcla de tedio y mareo que no le había abandonado desde que comenzó el viaje. Estaba seguro de que ni Leonardus y mucho menos Chiqui se habían dado cuenta pero sabía que Andrea lo adivinaba, aunque de habérselo ella insinuado él nunca lo habría reconocido.

Ella sí había nacido junto al mar y desde pequeña su padre le había enseñado a moverse en la cubierta de las barcas con buen tiempo o temporal. El primer día del viaje, en Marmaris, cuando Martín y Chiqui bebían limonadas en la terraza del bar del puerto esperando a que Leonardus y Tom volvieran de hacer las diligencias para poder zarpar, se las había ingeniado para comprar hilo, anzuelos, plumas y plomos y todos los días al atardecer se sentaba en la popa detrás del timón y echaba el curricán que ella misma había fabricado. Fijaba la mirada en un punto lejano del mar y se concentraba en la tensión del hilo sobre el dedo que había de transmitirle desde las profundidades del mar, el movimiento del anzuelo escondido tras la pluma, y al notarlo daba un tirón y recogía rítmicamente el hilo que formaba a sus pies un ovillo sinuoso de hebras amontonadas casi con perfección, sin cansarse, ni demorarse, ni acelerar la cadencia de la cordada. Y al llegar al final, sujetaba el pez y le obligaba a abrir la boca con una mano para, con un juego hábil de la otra, quitarle el anzuelo sin desgarrarlo, y ante los gritos de horror y de asco de Chiqui lo echaba al cubo. Luego, sin entretenerse en contemplarlo, soltaba de nuevo el curricán y deshacía al mismo compás la telaraña que descansaba en el suelo. Al fondear en una cala, si todavía había luz de día, en cuanto notaba que el ancla ya no garreaba y veía que Tom iba largando cadena, antes incluso de que saltara a la chalupa para amarrar el cabo de popa a una de las rocas o a un tronco que los embates del mar habían dejado entre ellas blanco y desnudo, se instalaba en la proa con la cesta de la pesca y doblada sobre la barandilla, con las gafas resbaladas sobre la nariz, se agarraba a una jarcia con una mano y echaba el volantín con la otra. El sol de poniente se abatía sobre las rocas de la costa soslayando el mar y las aguas exentas de reflejos adquirían una transparencia de claroscuro que la mantenía atenta a la agitación de los peces en el fondo sin reparar en la humedad que poco a poco iba mojando la cubierta y rizando aún más sus cabellos negros. Nada, ni siquiera la voz de Martín la distraía entonces. Y no recogía los volantines hasta que el sol al esconderse se llevaba consigo la oculta transparencia de las aguas. Y con la última luz que había quedado suspendida en el horizonte, limpiaba los cuchillos, clavaba los anzuelos en los corchos, los guardaba en la cesta para tenerlos a punto al día siguiente a la misma hora, llevaba el cubo con los peces a la cocina como probablemente había hecho todos los atardeceres de verano de su infancia —y seguía ahora haciendo con tal naturalidad que nadie habría adivinado que llevaba por lo menos ocho años sin navegar, sin pescar, sin ver el mar más que desde la lejanía de su apartamento en la ladera del monte, en la ciudad—, y sin más demora se reunía con ellos bajo el toldo y se servía el primer whisky.

Martín la había conocido en el mar, en la pequeña bahía frente a su casa de la costa. Hacía menos de un año que había terminado el servicio militar y en lugar de volver a Sigüenza donde vivía su familia, gracias a un compañero del mismo batallón que le había recomendado a su tío, había conseguido entrar de segundo cámara en la pequeña productora de cine y televisión que éste tenía en Barcelona. Aquel día era sábado y después de unas tomas en el puerto que habían quedado pendientes la mañana anterior, Federico, el productor, le pidió que le acompañara a la casa que un editor tenía en Cadaqués, un pueblo de mar al norte de la ciudad. Según le dijo, era un hombre rico interesado en invertir una suma importante en la serie de reportajes para la televisión que habían comenzado aquella primavera. Martín le acompañó porque no tenía más remedio y tampoco mucho más que hacer en la canícula húmeda de la ciudad vacía. Durante más de cuatro horas viajaron por una carretera que se empinaba y estrechaba a medida que avanzaban. En las curvas finales, cuando ya descendían entre lomas cubiertas de olivos bajo un sol agobiante, Martín, que apenas había desayunado, cerró los ojos para no sentirse peor y ni siquiera se percató de que se acercaban al mar que se extendía azul e inmóvil como un espejo oscuro hasta la línea del horizonte. Cuando aparcaron el coche eran más de las dos y entraron en la casa por una calle paralela al mar. Sebastián Corella, que les estaba esperando, les hizo pasar a la terraza.

Era un día transparente de julio y aun amparados por la sombra del toldo la reverberación del sol les cegó un instante. A sus pies un mar tranquilo se desmenuzaba en olas tan suaves sobre las piedras negras de la pequeña playa cerrada a ambos lados por rocas con lustre de mica bajo el destello irisado del sol, que la espuma transparente apenas transmitía un leve murmullo. Alguien venía nadando y rompía rítmicamente el agua, abriendo a su paso una estela incrementada por el golpe seco de cada brazada, como el dibujo de las bandadas de gaviotas en el cielo de octubre.

—Es Andrea, mi hija —dijo Sebastián Corella mientras ponía hielo en las copas que acababa de servir. Martín tomó la suya y se apoyó en la balaustrada para seguir la cadencia de la mancha oscura que al llegar a la playa se detuvo sin sacar la cabeza, se zambulló en una pirueta súbita y de una embestida salió del agua que saltó a su alrededor como un surtidor. Estaba a muy pocos metros de distancia: quedaron suspendidas sobre su cuerpo minúsculas gotas que brillaron al sol antes de resbalar sobre la calidad mate de su piel oscura y el cabello que se echó hacia atrás con un gesto preciso —que Martín no habría de olvidar, igual que esa mirada de ojos ligeramente entornados, opaca, perdida, dulce y vagamente desenfocada de los miopes— arrastraba todavía un chorro de agua. Una vez se hubo adaptado a la luz abrió los ojos en toda su amplitud y mostró las pupilas de un azul pálido que con los reflejos del agua adquirió un leve tono violeta. O quizá fuera que sus ojos tenían la facultad del camaleón porque ni una sola vez en todos los días y todas las noches que se mantuvo junto a ella aquel verano, o mirándola a distancia sobre las cabezas de los bebedores, o en la playa entre otras mujeres y hombres que nunca fueron para él más que figuras difusas de una farándula veraniega, o en el apasionamiento —y la distancia— con que se sucedieron los años siguientes, fue capaz de adivinar de qué matiz se habría teñido el azul de su mirada cuando dejara de enfocar el objetivo y fruncir los párpados y quedara al descubierto la nitidez de sus enormes pupilas que, sin embargo, llevaba en sí misma la carga de una cierta expresión enigmática, la sombra de una reserva que nunca sería capaz de desvelar cabalmente.

Sin bajar la mano que seguía sosteniendo hacia atrás la mata de cabello mojado, levantó la cabeza, sonrió y les saludó con la otra. Martín jamás había visto un ser más radiante, una mujer más hermosa, unos ojos más azules. Deslizó los pies por el agua y caminó sobre las piedras negras, ardientes y dentadas como si iniciara un paso de danza ya sabido y se agachó a recoger la toalla que había dejado en un pretil no con intención de secarse sino simplemente para dar por terminado el baño o quizá sólo por rematar el esplendor de su figura porque se la echó al hombro como había hecho con el cabello y desapareció bajo la terraza.

No volvió a verla hasta media hora más tarde. La puerta del fondo de la sala estaba abierta y desde donde estaba veía la escalera. Apareció primero un pie, después otro y finalmente el cuerpo entero. Bajaba despacio abrochándose la correa del reloj. Tenía el pelo todavía mojado pero más suelto y alborotado, iba vestida de blanco y llevaba gafas oscuras. En ese momento su padre había entrado en la sala y estaba buscando entre las revistas amontonadas sobre la mesa la última crítica de una película en cuya producción había intervenido. Ella pasó por su lado, le dio un beso fortuito en la mejilla y salió a la terraza manipulando aún la correa.

—Me llamo Andrea —dijo, y dio la mano primero a Federico, luego a Martín. Se dio la vuelta para servirse ella también una copa, y cuando su padre se acercó a Federico con el periódico, volvió la cabeza, se bajó las gafas hasta la punta de la nariz y por encima de ellas miró a Martín, le sonrió fugazmente con curiosidad y una cierta sorna, y antes de que él fuera capaz de reaccionar y devolverle la sonrisa, ella ya había empujado hacia arriba la montura negra y se había dado la vuelta otra vez.

Martín reconoció más tarde que se había azarado, lo reconoció ante sí mismo porque no habría tenido el valor suficiente de contar a nadie cómo esa simple mirada le había traspuesto. Hasta tal punto que apenas prestó atención a la entrada de la madre de Andrea, y a ese hombre alto y de tez oscura que la acompañaba y que se quedó a comer con ellos, ni a su nombre, ni más tarde a la perfecta disposición y al artificioso diseño de los cubiertos, los platos y los vasos, ni a la crema helada de calabacín y al pescado al horno y a las distintas clases de postre que les sirvieron, que tanto le habrían maravillado de no haber estado esa mujer sentada a esa mesa y precisamente a su lado. No podía oír más que lo que ella decía, ni atender a otro sonido que su voz, sin reconocer en cambio el contenido de su discurso, como si a medida que las pronunciara fueran perdiendo el significado una tras otra las palabras y no quedara de ellas más que la entonación, el tono, la inflexión, la melodía y el ritmo, y los gestos y la sonrisa con que los acompañaba, o esa forma de permanecer atenta a la intervención de quien le había interrumpido, con la cabeza adelantada, la boca ligeramente abierta y los cubiertos inmóviles en las manos, dispuesta en cuanto pudiera a retomar el hilo de su propio argumento. Y aunque procuró que no fuera demasiado evidente su ensimismamiento e hizo esfuerzos desmedidos sin lograrlo por comprender de qué se estaba hablando, en la agitación y la soledad de la semana que siguió no pudo recordar de esa comida más que los grandes ojos de Andrea apenas insinuados tras el cristal negro, la peculiar forma con que se ponía y quitaba continuamente las gafas y ese canto sin letra de su voz de alondra.

Luego, cuando una vez terminada la comida la vio salir sola a la terraza, se levantó también y la siguió. En aquel momento el motor de una barca retumbaba en el sopor de la tarde. El sol que había comenzado a ocultarse tras la casa había dejado en la sombra la terraza y la playita de piedras negras, y a esa luz se había oscurecido el tono dorado de su piel como si también ella se hubiera quedado en la penumbra. Estaba de espaldas al mar con la taza de café en la mano y la miraba perdida, había levantado la rodilla y doblado una pierna hacia atrás apuntalando sobre la otra todo el peso del cuerpo que, con el desplazamiento a que le había obligado la postura y desnudo ahora el rostro de la animación de la palabra, había adquirido un aspecto indolente, un poco lánguido.

No se movió cuando él llegó a su lado, ni siquiera levantó los codos del antepecho y siguió removiendo el café con la cucharilla.

—¿En qué trabajas? —le preguntó sin mirarlo.

—En cine, ¿y tú?

—Soy periodista —y bebió el café a sorbos lentos.

—¿De dónde eres? —preguntó al rato.

—Soy de Sigüenza, mejor dicho de Ures, un pueblo cerca de Sigüenza. ¿Por qué?

—Por nada, pura curiosidad —le miró ahora entornando los párpados y sonrió.

Martín no supo qué más decir. Sin saber por qué deseó por una vez salir de su mutismo, vencer su timidez y hablar, contarle que había nacido en Ures, provincia de Guadalajara, en el centro de España. Que en realidad se llamaba Martín González Ures, pero desde siempre se le había conocido como Martín Ures por el apellido de la familia de su madre. Que incluso a su padre, el maestro que llegó de Sigüenza y se casó con la hija del molinero Ures, se le llamaba señor Ures. Que desde pequeño él y sus hermanos llevaban el nombre de la aldea como si fueran los descendientes de los fundadores del pueblo aunque sabían bien, porque su padre lo contaba año tras año en la escuela, que la aldea había sido en sus orígenes un monasterio edificado en el siglo XV o XVI para una congregación de monjas vascas, que se conservaba todavía destartalado y casi en ruinas. Que lo habían llamado Ures por ser el único lugar de los contornos que tenía *ur*, agua en vasco, que el río que traía el agua de los montes de Pozancos corría bajo la ventana de su habitación en el sótano mismo del molino y que por las noches antes de dormirse tiritando entre las mantas porque las paredes rezumaban humedad se dejaba mecer por el rumor del agua, y que durante el día se asomaba a ver pasar la corriente absorto en las variaciones e imágenes que se sucedían, como años más tarde se quedaría embobado viendo la televisión, o más tarde aún, una y otra vez la misma secuencia de una película. Que no recordaba ni habría podido decir cómo se molía el trigo con el agua del molino porque cuando él nació ya no funcionaba, que en la plaza del pueblo había un caño que salía de un pilón de cemento al que llamaban la fuente donde todas las tardes se reunían los hombres y las mujeres bajo la sombra de un tilo gigantesco, que los muchachos que iban al servicio militar no volvían y el pueblo se fue vaciando, hasta que también quedó la escuela casi desierta, y que así fue cómo abandonaron la casa del molino y el pueblo y partió toda la familia a Sigüenza donde su padre había sido trasladado. Habría querido contarle cómo había echado de menos en la oscuridad de aquel apartamento nuevo y ruidoso de Sigüenza a los niños de la escuela de Ures y el graznido de los cerrojos herrumbrosos del molino al cerrar la puerta por la noche y la chopera al borde del camino que se extendía inacabable hacia la meseta, un paisaje sin más horizonte que la vaga línea de nieve apenas distinta del cielo en el invierno o las lomas de trigo acerado por las escasas ráfagas de aire tórrido del verano, y las higueras torturadas y los cangrejos en el río, y los ratones que sobre el ruido del agua roían las vigas del sobrado. Y explicarle la emoción con que iba todas las semanas a ver las dos películas que pasaban en la sala de la rectoría y cómo una tarde, cuando apenas tenía doce años, sin entender todavía de qué materia estaban hechas las historias que veía, juró que él, Martín Ures, también haría películas un día, y con qué superioridad miró desde entonces a los demás chicos convencido de que de una forma misteriosa pero irrecusable había sido elegido entre todos para un menester mucho más importante que subirse a los árboles a robar los nidos o esconderse jugando en las parideras del monte. Que todo cuanto había hecho a partir de esa revelación se había inspirado en la misma y profunda convicción que se apoderó de él aquella tarde en Ures, y que sin embargo en este momento lo único que le tentaba de su propia historia era la improbable eventualidad de que alguna vez él pudiera contársela y ella se sentara a su lado y no se moviera nunca más.

Pero no dijo nada y ante su mirada azul se limitó a encogerse de hombros como para indicar que nadie elige el lugar de su nacimiento.

Súbitamente Andrea se enderezó, se palpó los bolsillos y ¿dónde están mis gafas?, preguntó, y sin esperar respuesta se fue. Martín intentó seguirla con la vista pero le fue difícil. Un grupo de personas había entrado en el salón y ella aparecía sentada en un sofá buscando en las juntas de los almohadones o desaparecía oculta por un rostro o una sombra. Hasta que del mismo modo que habían irrumpido esos extraños personajes salieron todos y la habitación quedó silenciosa y casi en la penumbra como si con sus risas y su trasiego se hubieran llevado la luz y con ella a Andrea.

Sólo quedaron Sebastián y Federico, cada uno en

la esquina de un sofá, consultando papeles y cifras ajenos a las idas y venidas del personal. Sobre la mesa habían amontonado las carpetas que Federico sacaba de su cartera de mano, el cenicero estaba lleno de colillas y la botella de coñac señalaba con su nivel el paso del tiempo. Martín se sentó con ellos.

Al principio no se atrevió a rehusar la copa que Sebastián le había servido y luego, a medida que fueron pasando las horas, con ese ritmo distinto al que nos somete la bebida corta y continua, se quedó al margen de su conversación que oía con el deleite de quien cabecea una siesta con las voces de fondo de la televisión, y se dejó envolver por el vaho de bienestar e ingravidez que le iba imponiendo el día.

Bajo las voces rompían una tras otra las olas livianas sobre las piedras oscuras que había visto en la playa, el reloj de la torre de una iglesia dio las ocho y sonaron pisadas en algún lugar de la casa; de vez en cuando rompía el susurro de la conversación el motor de una barca que se acercaba o alejaba, o el ladrido perdido de un perro, una voz lejana, sonidos separados unos de otros, de límites precisos, como ecos que estallan en verano en el crepúsculo rosado del mar.

Estaba tan poco acostumbrado a beber que cuando después de haber recogido todos los papeles se levantaron y Sebastián les llevó al primer piso por la misma escalera que había descendido Andrea hacía unas horas y los dejó a cada uno en su habitación —así podéis descansar un poco antes de la cena, les dijo—, se agarró al pasamano para mantener el equilibrio y una vez en su cuarto se dejó caer en una de las dos camas sin apartar la colcha blanca ni asomarse a la ventana que daba sobre la terraza y el mar desde donde siguiendo la corona de luces de la riba que acababan de encenderse habría podido verificar el contorno de la bahía con igual precisión que en el mapa enmarcado que había descubierto en el vestíbulo de la casa esa misma mañana tan lejana ya. Y cuando Federico entró a buscarle para bajar a cenar se puso en pie de un salto sin saber ni la hora que era ni dónde estaba ni por qué tenía la cabeza tan pesada y en la boca el mismo sabor amargo de los amaneceres con gripe de su infancia. Se dio una larga ducha con la esperanza de que el agua fría le limpiara también la mente. Y después, desde lo alto de la escalera, enfocó en picado el salón y la terraza otra vez llenos de gente y aunque tuvo que prestar mucha atención y recorrer el escenario más de una vez porque seguía con el entendimiento confuso por el coñac de la tarde y remoto aún por el sueño que se le había pegado con obstinación a los párpados, no descubrió a Andrea por ninguna parte. Ni cenó en la casa con ellos cuando ya todos se habían marchado otra vez, ni la vio después en el bar de la playa donde fue con Federico, Sebastián, Leonardus, el hombre de tez cetrina que había aparecido a la hora de comer y Camila, la madre de Andrea, una mujer alta y demasiado delgada, que no hacía más que ponerse en la boca un cigarrillo tras otro sin preocuparse de encenderlo, segura de que alguno de los hombres que la rodeaba, si no todos, habría de acercar la llama de su mechero al extremo del cigarrillo con tal precisión que ella no tendría siquiera que inclinar el cuerpo para acertarla. Martín la contemplaba arrobado y se preguntaba de dónde le venía esa seguridad mientras tomaba de nuevo coñac, que después del aperitivo y del vino de la cena, contrariamente a lo que había supuesto, le había reanimado. Sin embargo pasó con acidez y mareos la noche, o lo que quedaba de ella, porque tal como les había anunciado Sebastián al despedirse en la puerta de su cuarto, fue él mismo a llamarles al alba para salir a pescar y pasar luego la mañana en el mar. Casi no se dio cuenta de cuándo ni cómo se vistió, ni en qué momento bajó la escalera y salieron a la calle. Recordaba vagamente la riba oscura, camino del muelle, sólo iluminada por unas luces demasiado altas y metálicas para no parecer los tres, así bajo ellas, seres fantasmagóricos.

Casi dormido había subido a la *Manuela*, una barca de madera pintada de verde que se tambaleó bajo sus pasos, más inestables aún por la destemplanza de la madrugada aún pegada al cuerpo, aturdido por los golpes de sus propios pies contra las tablas de madera, por los leves embates del mar en el balanceo que le llevaba al borde del vahído y del vértigo. La barca se separó del muelle. Sebastián estaba al timón y Federico a su lado. Ninguno de los dos hablaba ahora. Era todavía de noche pero por el horizonte del mar un vago asomo de luz, el temblor de una ráfaga de aire, anticipaba la aurora. Permaneció inmóvil, sentado en el lugar del banco de la bañera que le habían asignado, con las manos metidas en los bolsillos del tabardo que Sebastián le había prestado y el cuello levantado. A medida que avanzaban el fresco que le había cogido desprevenido al salir de la casa se convertía en frío y hacía frente con estoicismo al aire que le barría la cara y penetraba por las rendijas de sus ropas para martirizar su cuerpo rezagado que no había perdido aún el calor de la cama. Retumbaba la madera en su cabeza torturada por la confusión de las resacas encadenadas que iban tomando cuerpo con el vaivén, y le temblaban los muslos al ritmo del motor que taladraba la calma de la noche. La *Manuela* se alejó despacio del pueblo dormido y la corona de luces pasó a ser una línea continua, una fotografía de velocidad lenta, que rompía la tiniebla y marcaba los confines del mar: por poniente el oscuro perfil de los montes y la iglesia, y por levante la luz incierta del amanecer. Al salir a mar abierto apareció el perfil de una isla en la imprecisión del resplandor primero, e inmediatamente disminuyó la velocidad y se apaciguó el ronquido del motor de la *Manuela* y comenzaron a dar vueltas en torno a ella. No fue consciente de todos los movimientos que se iniciaron entonces, del trasiego de los cestos de la cabina a cubierta, de los preparativos de la pesca y de la pesca misma, y a ninguno de los otros dos pareció preocuparle, igual que nadie se había ocupado el día anterior de saber si quería quedarse o irse, si quería beber, cenar o dormir. Y él, que apenas se tenía de mareo y casi no podía abrir los ojos de sueño y de resaca, cuando en una de las idas y venidas de Sebastián a la cabina vio las dos literas, seguro de que tampoco ahora habían de reparar en él o si lo hacían no habrían de recriminarle, se escurrió en el interior y se tumbó en una de ellas, se dejó mecer por la sordina que la puerta cerrada imprimía a los golpes del motor y se durmió profundamente.

Cuando despertó estaba sofocado de calor y la luz brillante, seca y precisa como un cuchillo, le hirió los ojos. Estaban llegando a una cala y aunque se había reducido casi por completo la velocidad, la *Manuela* quedó frenada por el choque contra las piedras y Martín, que había salido a cubierta todavía con el tabardo, cegado por la luz perdió el equilibrio y fue a dar contra Federico que sostenía la barra del timón, mientras Sebastián largaba el cabo del ancla.

—Holgazán, no haces más que dormir —gritó riendo Federico que apenas había podido sostenerse por el traspiés. En la zozobra de su derrumbamiento Martín se preguntaba qué estaba él haciendo en aquel lugar hostil, a esa hora imposible y en este lamentable estado.

Se tumbó en la playa, sin tabardo, cubierta la cabeza con la camiseta que se había quitado y soportando estoicamente las piedras que le servían de colchón, mientras contemplaba cómo se las arreglaban para encender un fuego. Los vio vaciar una botella de agua en una olla, limpiar los peces del cubo, servirse en vasos de cristal un vino que le hizo cerrar los ojos de asco. El sol se había apoderado del firmamento. Ni una nube, ni un soplo de aire, ni un solo árbol en aquella cala inhóspita de piedras cuyas aristas no lograba atenuar ni con los múltiples pliegues de la toalla que le acababa de echar Sebastián.

Comió después un poco de sopa de arroz, un caldo caliente de pescado que le tranquilizó el estómago y en un arranque de valor incluso se atrevió a meterse en el mar en cuanto les oyó volver a la conversación del día anterior, con el agua a la cintura como si no se atrevieran a ir más lejos, o como si cautivados por sus propias palabras hubieran arrinconado la intención primera. Anduvo unos pasos pero no se zambulló sino que se agachó dentro del agua hasta que le llegó a la altura del cuello, se salpicó los ojos y la cara y salió encogido para disimular el dolor de las piedras afiladas en las plantas de los pies. Luego con la piel todavía fría, encendió el primer cigarrillo del día, se tumbó de nuevo con la camiseta en la cara, se dejó llevar por la modorra que le había entrado tras el caldo caliente o el agua fría quizá, y siguió de lejos las voces, el ruido del agua, los pasos sobre las piedras y finalmente el motor de nuevo. Sólo entonces se enderezó con una cierta energía seguro de que había llegado el momento de volver, de que ahora podría ver otra vez a Andrea que debía de estar nadando rumbo a la casa como ayer y que si se daban prisa les daría tiempo aún a sentarse en la terraza antes de que ella emergiera del agua como un delfín y volviera a mirarle con esos ojos azules que habían persistido sonrientes en el fondo de su resaca.

Sebastián puso un toldo de lona verde y a pesar de la opresión del sol y el brillo lacerante del mar, la brisa y la sombra dulcificaron el calor tórrido de mediodía. Navegaron de vuelta durante más de media hora, pero al torcer el cabo para entrar en la rada no se dirigieron al pequeño muelle de la casa sino que atendiendo a las voces que venían de otra barca fondeada en la bahía se detuvieron y se amarraron a ella, y Federico y Sebastián saltaron dejándole solo en la *Manuela*.

Durante más de una hora se dedicó a mirar con melancolía hacia la costa y a buscar tras el temblor irisado del aire la casa de Andrea. Ya iba a levantarse y reunirse con Sebastián y Federico cuando descubrió todavía lejana una mancha negra que, como el día anterior, pero en dirección contraria, venía nadando en una línea tan recta, con un ritmo tan acompasado y abriendo una estela tan perfecta en la calma de la inmensa bahía bajo el sol que de pronto comprendió que el milagro iba a repetirse.

Alguien le llamó desde la otra barca, pero él no respondió y permaneció atento, y cuando las brazadas tocaban casi el casco de la *Manuela* se asomó por la borda. En aquel momento Andrea sacaba la cabeza del agua y levantaba una mano que fue a ponerse junto a la de él. Respiró con fuerza como si le faltara ahora el aire que había gastado en esa milla, entornó los párpados y le miró tras las pestañas todavía llenas de minúsculas gotitas.

—Hola —dijo e inició la subida por la escalerilla de cuerda. Pero antes de saltar a cubierta se detuvo y como si respondiera a una pregunta que Martín nunca se habría atrevido a formular, deslizó el índice sobre su mano en una caricia sin matices ni sobresaltos para que la intención recayera únicamente en las palabras que iba a decir, y esta vez con los ojos completamente abiertos y las pupilas de color turquesa, dijo:

—Tengo buena vista cuando llevo puestas las gafas —y con un gesto señaló la terraza lejana—, y además —se detuvo un instante— soy muy impaciente —y dejándole solo con las palabras saltó a cubierta y entró en el tambucho en busca de una toalla. Luego sin mirarle apenas se fue a la otra barca con los demás.

Debía de ser ya muy tarde cuando casi todos se echaron al agua, menos él que seguía sentado en el banco de la bañera. Andrea se había zambullido con ellos y no la vio salir hasta que apareció por la otra amura, a su espalda. Ven al agua, gritó dirigiéndose a él por primera vez desde entonces. Y volvió a zambullirse, nadó unos metros y le volvió a llamar, pero él no se movió. Aunque no tenía mayor deseo que responder a esa nueva llamada y echarse al mar, permanecía inmovilizado por la ansiedad, en la contrapartida de un sueño que le torturaba desde niño pero esta vez, en lugar de ser él quien se movía por el barro fangoso intentando inútilmente avanzar hacia un objetivo que anhelaba pero que nunca llegó a conocer, tenía los pies paralizados en el suelo y era ella la que se alejaba. Porque por mucho que le atrajera esa mujer se sentía incapaz de echarse al agua sin apenas saber nadar. Ella se alejó hacia las rocas y la perdió de vista.

Un par de horas más tarde, en el coche, mientras oía el interminable discurso de Federico sobre los proyectos casi concluidos con Sebastián en las laboriosas conversaciones que había mantenido durante más de veinticuatro horas y miraba el pueblo lejano, más pequeño tras cada nueva curva de la carretera, estaba decidido a volver el próximo fin de semana y todos los que tuviera libres hasta el día de su muerte.

Pero ni aquel verano de calmas y calor que los viejos del lugar no habían visto desde su infancia en que ni un solo día se encabritó el mar, ni entró el levante a mediados de septiembre cuando ya había que andar por la calle con tabardo porque hacía frío; ni las plácidas noches sentado en el bar de la playa mientras la voz y la risa de Andrea se mezclaban con el murmullo de las olas como el fondo azul de sus historias, lograron desbancar en la mente de Martín la certeza de que el mar era un elemento extraño, amenazador, demasiado presente a todas horas, demasiado evidente. Quizá porque como le dijo ella varias semanas después al despedirse una noche, cuando ya conocía la historia que el primer día no se había aventurado a contarle y otras muchas que iba recordando a medida que le hablaba, él era un hombre de tierra adentro que no conocía más inmensidades que las de la meseta ni más olas que las del viento sobre los trigales.

Y sin embargo fue el propio Martín quien ahora, casi diez años después, había aceptado por primera vez la invitación que Leonardus repetía todos los veranos. Andrea al principio había aceptado, pero al saber que se había incorporado al viaje una de las chicas de Leonardus que ni siquiera conocía, perdió el interés como si ese proyecto que Martín sólo había aceptado por ella no le atañera en absoluto, aunque bien es verdad, no había opuesto resistencia ninguna.

—Recobrarás el color —le dijo él la noche que le dio las fechas y llegó con los billetes de avión. Y añadió con cautela—: Apenas hemos estado en el mar en los últimos años. Ella no rompió el silencio en el que se había sumido hacía días, y al mirarla de soslayo para intentar descubrir en qué punto exacto se encontraban, no acertó a encontrar las palabras que habrían de apearla de su enojo. Sólo al cabo de un rato insistió:

—Con el aire y el sol tendrás mejor aspecto y te sentirás mejor, ya lo verás —dijo con temor, porque esperaba que de un momento a otro ella saliera de su pasividad y se encolerizara, y estaba seguro de

43

que sin dejarle terminar habría de bramar como tantas otras veces, no es aire y sol lo que necesito sino simplemente que no me mientas. Pero esa noche permaneció callada, sin apenas variar la expresión un tanto desvaída de sus ojos azules, de un azul tan intenso a la luz del crepúsculo en esa inmensa terraza sobre la ciudad, que acentuaba aún más la palidez marfileña de su rostro de madonna.

—¿No ibas a salir? —dijo al fin en tono neutro con la vista fija en sus manos inmóviles que sostenían las gafas sobre las rodillas. Tenía el aspecto frágil y lejano y la penumbra acentuaba las sombras oscuras bajo los ojos.

—No voy a salir —dijo y se acercó al sillón. Se puso en cuclillas frente a ella hasta que las dos caras quedaron a la misma altura y con el dedo le obligó a levantar la barbilla.

—Mírame, Andrea. Llevas días sin hablar. Te he pedido perdón. ¿Qué otra cosa puedo hacer? Sabes que no quiero a nadie sino a ti, que no sé vivir sin ti, que no quiero vivir sin ti, que contigo empieza y termina mi vida.

Habló a golpes, con monótona entonación, como si recitara un rosario de palabras extrañas y mágicas y no atendiera más que a los resultados.

Ella le dejó decir y sin reaccionar apenas desvió la mirada, entornó los párpados y torció la cabeza que él mantenía levantada con la punta de su índice.

—Sí —dijo al rato—, ya lo sé.

Aquella noche cenaron los dos en silencio y cuando ella se levantó para ir a la habitación que ocupaba sola desde hacía más de quince días, él repitió:

—Verás como el aire y el sol te devolverán el buen color. El de entonces —añadió torpemente.

Pero llevaban más de una semana en el mar y a pleno sol y la piel de Andrea apenas había adquirido un pálido tono rosado. Es cierto que casi siempre se calaba el sombrero hasta las gafas y rara vez se había quitado la camiseta porque se había quemado la nariz, las rodillas y la espalda ya el primer día, y cuando por la noche apareció su rostro en el espejo colgado de una cuaderna, horrorizada del color rojo violento que ni a fuerza de cremas lograba hacer desaparecer, sentenció melancólicamente que nunca más habría de ponerse morena. Martín entendió el reproche velado de la voz pero no contestó. Por primera vez en varias semanas, ella no iba a poder encerrarse en su cuarto y aunque se mantenía distante sabía que estaba tan azorada como él. Y cuando la vio tumbarse boca abajo y permanecer inmóvil con los ojos cerrados repitiendo cansinamente nunca más me pondré morena, nunca más me pondré morena, entendió que la monótona cantilena no se debía a los tres whiskies que había tomado antes de la cena y a los dos que se había servido después, sino que había llegado el momento en que en el artificio de su borrachera se abriría el paso angosto que había de dejar un solo instante de dimisión. Por esto, conmovido, se sentó a su lado y en silencio, sin apenas atender al ritmo sincopado que iba adquiriendo esa extraña y monocorde melodía, se limitó a ponerle aceite en la espalda, concentrado en la convicción de avanzar hacia su propia meta y en el deleite de reconocer cada hueco, cada fisura, cada relieve; y suavemente dejó resbalar la mano hacia la curva de los hombros ardientes y las exiguas vaguadas a uno y otro lado de la columna, y ascendió de nuevo hasta llegar a los músculos endurecidos del cuello y de la nuca, demorándose en el nacimiento de los cabellos y añadiendo a cada rato el aceite que el calor de la piel había absorbido, y sólo se agachó a besarle la nuca blanca y el párpado cerrado del ojo que de-

jaba visible su postura, cuando reparó en que llevaba un rato sin canturrear y en un gesto de forzada
distracción, como si hubiera cambiado de posición
sin motivo aparente la mano que descansaba sobre
la almohada, la había posado en la rodilla de él. Entonces se tumbó a su lado y, sin dejar de rastrear con
la palma untada los contornos de las paletillas e in-
ternando luego los dedos en los costados, más blancos que los hombros, zonas umbrosas donde el sol
no había dejado su huella, con la otra pulsó el interruptor para que sólo entrara por la escotilla la tibia
luz de la cruceta que daba a su piel la calidad lunar
de un desierto.

II

Lo primero que vieron al doblar el cabo fueron los cormoranes quietos y silenciosos sobre el acantilado rocoso, opaco el plumaje negro y verde por la calina, con el pico mirando al cielo como esculturas solitarias que flanquearan la entrada a la isla, y tras ellos apareció en el fondo de la bahía el puerto recogido en sí mismo como una franja de luz imprecisa entre el brillo del mar y la tierra reseca y cobriza. La mole de piedra descargaba sobre él su incandescencia y a ras del agua la reverberación del aire en suspenso se estremecía abrumada por la potencia del sol, diluida en calor, velando colores y líneas. La asfixia desorbitaba el ambiente y el paisaje refractado por la canícula yacía anonadado y distorsionado como un borroso telón de fondo.

Al cabo de unos meses, cuando del verano y del calor ya no quedara casi ni un recuerdo que no perteneciera a una fotografía, cuando se hubiera diluido, transformado y casi olvidado todo cuanto se iniciaba en ese instante inmóvil, en las súbitas y escasas reminiscencias que asomarían apenas en los resquicios de su memoria Martín Ures había de preguntarse en más de una ocasión si no habría ocurrido todo porque el lugar estaba embrujado. Porque sin motivo aparente flamearon las velas, el *Albatros* perdió arrancada y sin poder vencer la resistencia de plomo de la mañana inanimada, cabeceó levemente y permaneció después inerte sobre el cristal del agua como si en aquel ámbito no hubiera lugar para la inercia. Y en el mismo instante todo el trapo se desplomó sobre cubierta.

Por la repentina inmovilidad o quizá por la misma espesa consistencia del aire sofocante asomaron los cuatro la cabeza por las escotillas sobrecogidos por un súbito malestar. Y cegados por la luz y el calor contemplaron el puerto y las laderas sin comprender lo que había ocurrido ni discernir todavía los contornos de las lomas. Poco a poco se acostumbraron a la luz acerada y temblorosa. Aparecieron entonces vestigios de escombros oxidados como las piedras de las que estaban hechos, casi escondidos tras una vegetación estropajosa, tostada y reseca que había nacido y seguía abriéndose paso entre ellos, primero una sombra, luego otra y otra que se extendieron por las colinas hasta que se desveló la inmensa ruina que se alzaba sobre el mar como una montaña de cascotes que el tiempo, la erosión y el crecimiento hubieran nivelado.

—¡Qué horror! —dijo Chiqui ahogada por ese súbito e inesperado aumento de la temperatura, la falta total de aire y el paisaje lunar que gemía en el silencio la inmovilidad de su propio descalabro—. ¿Por qué no nos vamos?

Nadie respondió.

Andrea se secó la frente que se había llenado de minúsculas gotas de sudor, como el cuello, el labio superior, la espalda y las piernas.

—No podré soportarlo —dijo.

Leonardus avanzó con lentitud hacia el timón, empapada la chilaba blanca que siempre había llevado impoluta, y dijo casi sin atreverse a levantar la voz:

—¿Qué hacemos ahora?

Tom se encogió de hombros y siguió azuzando el timón, más por comprobar hasta qué punto era vano el intento que por creer que podría enderezar las velas y mover el *Albatros*.

—Quizá nos lleve la corriente hasta el muelle —dijo Leonardus.

—No hay corriente —respondió Tom.

En la bocana, la mezquita temblaba tras el aire irisado como la imagen de un oasis lejano en el desierto. Una única figura, una mujer apoyada en el muro encalado, cubierta la cabeza con un sombrero de anchas alas, se destacaba en el fondo brumoso de ese paisaje incandescente como surgida de un tiempo ya olvidado. Se había cobijado bajo la estrecha sombra de un alero y permanecía inmóvil frente al camino que ascendía al promontorio, flanqueado por un par de casonas quizá salvadas de la hecatombe, quiza reconstruidas.

No había conocido desamparo como el de aquella mañana de junio en que tomó el avión para Nueva York, no tanto en busca de nuevos horizontes cuanto por romper con la relación que había iniciado con Andrea hacía poco más de un año. El avión había despegado puntualmente y hasta aquel momento había tenido la seguridad de que había de llegar a despedirle aunque sólo fuera para decirle adiós con la mano. Fue el último en pasar la aduana, y desde el autobús que los llevaba a embarcar siguió escrutando la terraza del aeropuerto por si la descubría pero ella no apareció. Y con esa obstinación inconmovible del profundo deseo mezclado con la desesperación y de no comprender cómo ha de poder ser de otro modo, cuando el avión inició su recorrido por las pistas secundarias y la de despegue, mantuvo aún la mirada fija en el edificio de la terminal. Sólo cuando atisbó el mar desde la altura y bajo el ala apareció la geografía cuadriculada de la ciudad, atravesaron la niebla espesa que la había encapotado desde por la mañana y se encontró en el ámbito soleado sobre el estrato de nubes blanquecinas, sintió todo el desamparo de su soledad. Le cegaron unas lágrimas tibias pero aún pudo mantener inmóviles las mejillas. Hizo un esfuerzo por contenerse y en un último intento de controlar el temblor de los labios se sonó estrepitosamente por un pudor frente a sí mismo, quizá, o a los demás, y cuando ya creía haber dominado el llanto, las lágrimas fluyeron de repente y le obligaron a abrir la boca y a respirar tirando de la nariz y de las comisuras de los labios en una mueca incontenible que no logró sofocar un lamento tan ahogado que su vecino le miró con estupor. Entonces, dejó a un lado la reserva y lloró en silencio.

En contra de lo que habían acordado, una vez en Nueva York le envió a su oficina cartas, cortos mensajes que sólo ella podía comprender, una cinta para las gafas rematada con flecos y piedras de colores que vendía un somalí en la esquina de su casa y la hoja roja de un arce que recogió del suelo en uno de los escasos y melancólicos paseos por el parque. Le hizo llegar recortes de periódicos y frases breves en su elemental inglés para mostrarle cómo progresaba sin reparar o sin querer reparar en que no tenía respuesta. Sólo muy de vez en cuando, en las noches de añoranza y soledad cuando ni siquiera podía echar mano de los recuerdos porque nada significaban frente al deseo, se daba cuenta de que la decisión de ella era inquebrantable. Pero aun así siguió viva la esperanza y aunque sabía desde el principio que languideciendo de amor nunca llegaría a nada, no hizo más que ver la ciudad con los ojos de ambos, pelearse a brazo partido con un idioma que se le resistía y trabajar de tercer ayudante en una serie para televisión que le había conseguido la propia Andrea a través de Leonardus.

Al cabo de unos meses, hacia enero, cuando comenzaron a caer en Nueva York las primeras nevadas, se matriculó en un curso de dirección en la Universidad y cuando a finales de abril acabó su primer corto le envió una copia. Esperó con impaciencia el cartero y el teléfono pero ni cuando volvió Pedro Bali, un amigo de su mismo curso, y le contó que él personalmente había entregado el corto a Andrea en su oficina, ni después de darle el tiempo suficiente para buscar y encontrar el proyector, o la sala de proyección para lo que también le había incluido instrucciones precisas y siguió sin recibir respuesta, ni siquiera entonces, dejó de contarle en el secreto de su corazón todo cuanto veía y le ocurría igual que había hecho desde su llegada, con el íntimo convencimiento de que por una extraña conexión más eficaz aún que los mensajes cifrados o el teléfono que nunca se atrevió a utilizar, ella había de oírle. Seguía viéndole la cara de asombro o de escepticismo, oía su voz y su presencia seguía siendo tan viva que por las noches moría de impaciencia al tenerla tan cerca y no poder tocarla. La conocía lo suficiente para saber que nada le impedía contestar una carta, y siendo así no tenía motivos para suponer que había cambiado la decisión de no volver a saber de él. Pero incluso así, vivía con la convicción de que una ruptura tan tajante había de responder por fuerza a un propósito más profundo, o que el ansia de estar con él era de tal naturaleza que sólo se podía contrarrestar con esa decisión tan drástica; de otro modo ¿qué daño podía hacerle escribir una carta, una simple nota? Comprendió entonces con una forma de conocimiento distinta de la que le había he-

51

cho mantener la esperanza, que durante medio año había estado hablando solo y sin detenerse a pensar si se lo dictaba el despecho, el dolor o un impulso de mera supervivencia, decidió dar una tregua a la espera y reconstruir el escenario de su propia vida para arremeter con mayor fuerza en cuanto llegara la ocasión que, indefectiblemente, estaba seguro, había de llegar. Aunque como había de descubrir más adelante no basta la voluntad como arma de lucha ni sirve para reconvertir los fantasmas del pasado, ni nos vuelve invulnerables a la melancolía y al sufrimiento, ni mucho menos puede desviar el rumbo que los acontecimientos llevan escritos en sí mismos.

Cuando acabó el contrato con la productora decidió quedarse en Nueva York y aceptó todos los trabajos que le ofrecieron, desde conducir el camión de producción por las calles que no conocía hasta barrer los platós cuando ya no quedaba nadie. Y los hacía con tal dedicación que muchas veces, era consciente, a su alrededor se le miraba no con admiración sino con pena. Pero él seguía enfrascado en lo que le dieran porque quería recuperar el tiempo perdido y estaba convencido de que había que andar paso a paso el camino que se había trazado.

Fue inflexible consigo mismo, se sometió a una disciplina que le obligaba a levantarse al alba y antes de ir al trabajo se sentaba a escribir un guión que había comenzado el invierno anterior, y continuaba por la noche, cuando volvía de la academia nocturna, borrado el mundo que le rodeaba, sin oír al clarinetista, su vecino de la terraza contigua, ni los ruidos de la calle que durante las primeras semanas le habían impedido dormir. Avanzaba a tientas por un camino que sin embargo le parecía trillado porque sin darse cuenta entonces, estaba escribiendo en otras claves su propia historia y no se engañaba: sabía que toda obsesión no es más que una sustitución de la pasión.

La misma disciplina empleó contra la imaginación y la costumbre. En cuanto le situaban ante una imagen concreta y veía sonreír a Andrea, o buscar las gafas vaciando el bolso, o entrar en un teatro o un cine como si sólo faltara su presencia para comenzar, o aparecía sentada frente a él en la mesa de un café, se daba cuenta de que el dolor no remitía pero antes de recrearse en el recuerdo lo archivaba celosamente en su interior y seguía trabajando con la misma avaricia que si acumulara tesoros que un día habría de ofrecerle.

Como si fuera cierto que una mano oculta premia los esfuerzos desmedidos, como si existiera de verdad la justicia inflexible y racional que no ceja hasta poner la balanza de su lado, a los tres o cuatro meses se vio recompensado. Terminó el guión de su primera película que años más tarde habría de producir Leonardus, aquel primer corto que había acabado en la escuela con la ayuda de colegas y con medios irrisorios obtuvo el tercer premio en un certamen de la New York University y más tarde fue seleccionado para el Festival de Filadelfia, y al llegarle por fin una cierta paz se convenció de que estaba animado sólo por el intenso deseo de hacer lo mejor y le pareció que había vuelto al camino que dejó abandonado por seguir a Andrea.

Los días eran más largos. Flotaba en el aire el olor de las glicinas, los árboles comenzaron a cubrirse de hojas y hacia el mediodía el calor apretaba tanto como en un día de verano. Olía a primavera en la calle y Martín pensaba en los campos de Sigüenza, en los prados de Ures, en el tilo de la plaza que no había visto desde mucho antes de llegar a Nueva York, desde la primavera del año anterior durante aquellos pocos días que había logrado arrancar a Andrea para una breve excursión al interior del país, a su casa, adentrándose en los Monegros —un paisaje lunar que hasta aquel momento ella había contemplado sólo de forma vaga desde el avión, como se mira en la distancia lo que apenas tiene que ver con nosotros— hasta llegar a la provincia de Guadalajara en el cenit de la primavera radiante, escasamente soleada la tierra que durante meses se había endurecido por el frío y el hielo. El aire todavía con reminiscencias de invierno, irisado de claridad y transparencia, mecía las escasas y diminutas hojas de los chopos, tan tierno el verde recién nacido de los campos y tan breves aún los tallos en los trigales que asomaban entre ellos las vetas de las vaguadas y los caminos. Martín sabía que en un par de meses el sol confundiría los límites ahora tan claros dorando y uniformando la tierra y que el aire permanecería estático y aturdido por el sol que había de reinar, e igualar los colores y las sombras.

Llegó junio otra vez y se hacía difícil soportar el calor intenso y húmedo de la calle. No había forma de mitigar el ambiente sofocante de su apartamento porque no entraba aire por la única ventana del estudio ni siquiera abriendo la de la cocina, y en el pedazo de cielo que veía recortado y enmarcado por los últimos pisos de los edificios contiguos apenas se adivinaba el azul borroso de calina y humedad. Pero él seguía día y noche descubriendo los recovecos de su historia en unos parámetros que nadie sino él habría reconocido. Y en su entusiasmo le pareció que estaba aprendiendo a conocerse. La memoria es endeble cuando se trata del dolor, del amor y de las obsesiones. ¿Cómo se vive, se decía entonces, sin un guión a medio escribir? ¿De qué materia son los deseos que nos hacen continuar?

Fue por aquellos días cuando conoció a Katas. Durante meses se habían encontrado en el ascensor. Ella salía siempre en el piso 14 y a pesar de que permanecía como los demás con los ojos fijos en las luces que marcaban el paso de las plantas, se dio cuenta de que le veía quizá por la casi imperceptible turbación con que cambiaba de un brazo a otro los libros o por el encuentro fugaz de sus miradas cuando iniciaba la salida del ascensor. Tenía el pelo largo y lacio que llevaba recogido en una cola de caballo, y vestía siempre faldas floreadas y sandalias de ermitaño. Andaba cargada con libros y carpetas y ese día, además, con una bolsa de papel atiborrada de comida. Cuando el ascensor llegó al piso 14 fue a salir y por no chocar con la guitarra de otro vecino dio un traspiés y todos los libros cayeron al suelo. El chico de la guitarra aguantó estoicamente la puerta mientras él la ayudaba a recogerlos y no se dio cuenta de que en el momento en que la seguía para dárselos se había cerrado la puerta y el ascensor había seguido sin él. Dijo ella con un ligero acento extranjero que no reconoció: —Gracias, me llamo Katas —y alargó una mano por debajo de los paquetes. La dejó en la puerta del apartamento 147 y aunque no aceptó la invitación a entrar, a punto estuvo aquella noche de volver sobre sus pasos para decirle que había cambiado de opinión.

Al día siguiente supo más de ella por el portero de noche, un hispano con el que coincidía a veces en la puerta cuando el calor le sacaba de su apartamento. Era griega, le dijo, había llegado a Nueva York hacía unos años para estudiar medicina y al final del trimestre, es decir en Navidades, volvería a Grecia. Osiris, el hispano, al que se lo había preguntado venciendo su repugnancia a iniciar conversaciones, lo sabía porque la chica ya lo había comunicado al administrador. Y añadió con su cantinela nasal: —Ella está todas las tardes en la biblioteca del barrio, ésa de ahí enfrente. Yo te lo digo a ti por si tú quieres encontrarla.

Durante varias semanas quiso ir a la biblioteca pero no pudo. Trabajaba hasta muy tarde y cuando llegaba ya habían cerrado.

Un día al volver del trabajo salió del ascensor en

el piso 15 y torció por el pasillo sin mirar al frente, ocupado en buscar la llave del apartamento en el fondo de la bolsa. Cuando ya iba a ponerla en el cerrojo acuciado por una presencia en la que no había reparado, levantó la vista y allí estaba Andrea, apoyada en la pared, a medio metro escaso de distancia, sonriendo divertida y emocionada ella misma por la sorpresa que había preparado.

—No has cambiado, no has cambiado nada —le decía, tan cerca su cara de la de ella que de no haber estado los ojos fijos en esa motita casi invisible que había descubierto junto a la ceja habría visto su rostro borroso como en un sueño—. No has cambiado nada —repetía y deslizaba el dedo por la frente, los párpados y las mejillas concentrado en el contacto, casi sin verla, como resbalan las yemas del ciego sobre los contornos y las superficies para descubrir los secretos que están vedados a los videntes. Apenas pudo hablar de otra cosa hasta el amanecer, demasiado obsesionado el pensamiento y la avidez por una presencia que había deseado durante meses, y cuando lo hizo no atendió a las razones que ella le daba —este viaje es sólo un paréntesis, una sorpresa que no significa nada—, porque le parecía que ella misma y su llegada desmentían la veracidad de sus palabras y de sus propósitos, y sin querer oírla insistió en ofrecerle de nuevo y con más vigor aún, su vida, su tiempo, su cuerpo y su alma, y se entretuvo incluso en anticiparle cómo podría ser la vida de ambos en Nueva York seguro de transmitirle su entusiasmo y vehemencia. Porque ahora que la tenía tan cerca, en el lugar idóneo, el perfecto, el que le había sido destinado desde siempre, no cabía imaginar cómo había de ser de otro modo.

Hacia las diez de la mañana, sin embargo, ella comenzó a recoger su ropa porque salía hacia México dentro de un par de horas con Leonardus y dos de sus socios en un viaje de prospección, dijo, están cambiando las cosas en España, añadió, con la llegada de la democracia y hay que estar preparado. Andaba con prisa, pero aún le quedó tiempo para recordarle que esa escala en Nueva York no había de hacerle concebir otras esperanzas que, insistió, no tendrían fundamento alguno.

—Sin embargo tú me quieres.

—Ya lo sabes —respondió ella—, pero no hay solución para nosotros. La vida es así, no le pidas más de lo que puede darte —y sonreía como entonces como el día, un año antes —un año ya— que se había presentado en la casa de la Plaza de Tetuán donde él vivía con una hermana de su padre, para rematar la larga discusión que habían tenido la noche anterior y darle a conocer un veredicto cuya urgencia y brutalidad no pudo comprender.

—Pero ¿por qué tengo que irme? ¿Qué me estás queriendo decir? —preguntó él entonces.

—Federico ha desaparecido, bien lo sabes. La policía lo busca. La productora sin él no funciona. Tienes una oportunidad en Nueva York con ese contrato que te ofrecen a través de Leonardus. ¿O prefieres quedarte en Barcelona sin trabajo, expuesto a que la policía te encuentre? Sabes que te están buscando.

Era cierto que desde hacía una semana la puerta de la productora estaba sellada por orden judicial, que hacía varios meses que nadie había cobrado y no se tenían noticias de Federico, pero nunca se le había ocurrido relacionar esos hechos con la política.

—¿Por qué habrían de buscarme? —le preguntó—. Si lo hicieran ya me habrían encontrado, nada más fácil.

—Sé lo que me digo —respondió Andrea que a todas luces tenía prisa, y sacó del bolso una cartera con el billete, una lista de direcciones de NuevaYork y el contrato del piso que había alquilado para él por un año entero en la calle 14 con la Segunda Avenida—. Y tampoco nosotros tenemos futuro —dijo con dulzura.

Pero él casi no la oyó porque lo único que le interesaba en ese momento, ella no estaba dispuesta a aportarlo.

Bajaron juntos en el ascensor y salieron a la calle.

—Siempre te estaré esperando —juró aún en el último minuto sin darse cuenta cabal de que desaparecía en el taxi perdido en la circulación hasta que, consciente de que había salido sólo con la llave, volvió a casa. El apartamento tenía un olor distinto ahora y estaba más vacío que durante todos esos meses y su trabajo, su vida en Nueva York y él mismo, de pronto carecían de sentido.

Llamó al plató e inventó la excusa de una caída, como había hecho ella en tantas ocasiones aquel primer año en Barcelona, y se tumbó en la cama revuelta. Tenía el día libre y no sabía muy bien qué hacer. Daba vueltas y más vueltas a cada uno de los gestos de ella, a sus palabras que repetía incansablemente hasta agotarlas y gastarlas y lograr que se vaciaran de sentido, y hacia las tres de la tarde ni el aroma que su cuerpo había dejado flotando en el aire ni el temblor decreciente de sus manos eran más que otra imagen fugaz que añadir al bagaje que la memoria arrastraba consigo desde que tomó el avión aquella mañana de junio en Barcelona.

Salió de nuevo y se fue al japonés de la calle 16. Comió lo que no había comido en dos semanas y se tomó dos *bloody mary*. Y cuando al salir miró el reloj y vio que eran las cinco y media decidió ir a la biblioteca.

La vio inmediatamente con la cabeza inclinada sobre los libros, jugando distraídamente con un mechón del flequillo. Tomó una revista y fue a sentarse casi frente a ella. Hasta mucho rato después, al levantar la vista quizás atraída por el reclamo de su mirada, no le vio; le sonrió con timidez pero sin sorpresa y volvió a su libro. Cuando se levantó para irse él la siguió y una vez en la puerta la invitó a tomar un café. Ella aceptó. Él no tomó un café sino una cerveza y luego otra y mientras la tarde se adormilaba sobre los rascacielos y el rosa del crepúsculo teñía el cielo brumoso y espeso de la ciudad, le contó la misma versión de su vida que había querido contar un par de años atrás a Andrea, sin prisas porque nadie les esperaba ahora y porque posiblemente tampoco él estaba tan impaciente como el día que la conoció en la playa, ni tan ansioso como cada uno de los instantes que estuvo con ella aquel verano y el invierno que le siguió hasta que se fue, y aun después. Y porque estaba seguro también de que en aquel mundo de cemento, ruidos y excesos, hablar con calma de su infancia en la lejana aldea escondida entre trigales resultaría cuando menos una historia mucho más exótica. Comenzó casi de la misma forma, como hacemos todos afianzando la versión oficial de nuestra propia vida, esa versión que acabamos creyendo y a partir de la cual elaboramos un dictamen sobre nosotros mismos que a toda costa queremos que acepten los demás:

—Me llamo Martín Ures —le dijo en un inglés que a pesar de haber mejorado seguía siendo elemental— y soy español. —Ella asintió como si ya lo supiera—. Soy de Ures, provincia de Guadalajara, en el centro de España y estoy muy orgulloso de llevar el nombre de mi aldea.

Cenaron aquella noche en un restaurante del Village y pasearon hasta el amanecer. Al día siguiente, tal como habían convenido, Katas apareció en su apartamento para recoger su bolsa y llevarla a la lavandería junto con la de ella. Martín fue por la tarde a buscarla a la biblioteca y le pidió que le acompañara al rodaje del otro lado del puente de Brooklyn y tres días después le ayudó a pintar el apartamento que, dijo, necesitaba una mano de pintura. Hablaban por teléfono por lo menos una vez al día y si llegaba pronto a casa, Martín preparaba una ensalada y tortillas que compartía con ella. Fueron al cine, al Central Park, y al gimnasio de la Segunda Avenida y acabaron contando el tiempo por las horas que les faltaban para encontrarse. Pero ni siquiera cuando al cabo de tres meses pidió prestados a Dickinson, el primer cámara, los cincuenta dólares que necesitaba para llevarla a cenar al New Orleans, un restaurante con manteles a cuadros y velas en copas de cristal sobre las mesas donde había decidido pedir una botella de vino y regalarle luego los largos pendientes de azabache que ella había descubierto en un escaparate de la Segunda Avenida muy cerca de su casa, ni siquiera esa noche, convencido como estaba de que a la vuelta ninguno de los dos habría de pulsar el botón del piso 14, quiso aceptar que había marginado a Andrea. Es más, mientras se preparaba para salir y se ponía la camisa blanca que él mismo había planchado, se aferraba con obstinación al recuerdo de su mirada azul como nos aferramos a la memoria de un muerto para que no desaparezca la parte de nuestra vida que se fue con él y sigamos siendo lo que somos.

La imagen persistió no como una sonda en el pasado sino en el interior de sí mismo.

Dijo Andrea desde atrás, con las manos húmedas sobre los brazos de él: —¿En qué piensas?

No respondió.

—Mira —dijo ella—, nos van a llevar. —Y apoyó la barbilla en su hombro como si mirando en la misma dirección fuera a descubrir lo que él veía.

Por estribor había aparecido una barca de pesca de proa levantada, carcomida la madera en las aristas por el uso, del mismo azul pálido desvaído por la luz que las casas reconstruidas del puerto. Nadie la había visto acercarse ni había oído el ronquido del primitivo motor de dos tiempos.

El barquero dio a gritos una orden que apenas logró desprenderse del ritmo sincopado de las nítidas explosiones del motor y de pie, con la mano en la barra del timón, sin esperar la respuesta agarró un cabo meticulosamente enrollado en el fondo de la carlinga y siempre sin soltar la barra lo lanzó con la otra a la cubierta del *Albatros*. Era tan convincente que Tom amarró el cabo sin mirar a Leonardus, como si a partir de aquel momento la autoridad se hubiera desplazado, y después se dirigió al timón para ayudarlo también a obedecer. El *Albatros* tras un par de embestidas descontroladas se acopló a la velocidad del motor elemental que acusaba chirriando ese esfuerzo desmesurado, y se adentró en aguas del puerto remolcado por la barca y el barquero como el cadáver de un escarabajo recorre el polvo arrastrado por la hormiga. Avanzaban despacio, con las velas todavía esparcidas en cubierta como un colgajo inútil bajo un cielo sin un soplo de aire. El hombre se volvía de vez en cuando, levantaba la cabeza hacia ellos y gritaba en griego para hacerse oír lo que indicaba con gestos para hacerse comprender. El aire inmóvil olía a mirto y arrayán pero al pasar junto a la otra margen cubierta de sargazos, una bandada de gaviotas alzó el vuelo y el alboroto les trajo en oleadas el hedor de las pestilencias de un albañal, un montón apelmazado de detritus donde zumbaban nubes de insectos.

—¿En qué piensas? —repitió Andrea presionando el hombro de Martín que seguía con la vista fija en la plazoleta de la mezquita. La mujer bajo el alero, alta como una sombra lejana como una quimera, desaparecía tras un saliente del muelle.

—¿En qué piensas? —insistió.

—Son ruinas —dijo él vagamente. Se secó el sudor con la mano y se volvió hacia ella porque sabía que sólo así borraría de su cara la inquietud.

—¿Qué estabas mirando?

—Nada —dijo él y le pasó la mano por la frente.

También ella sudaba, ella que no se había cansado de proclamar a todas horas con un deje de superioridad en la voz y en el gesto que ni siquiera sudaba en la sauna, indicando con ello que aunque su deseo habría sido sudar como los demás, la naturaleza, su propia naturaleza, no le había otorgado ese don plebeyo. En aquel momento las gotas que brotaban en la superficie de la piel y estallaban en minúsculos puntitos brillantes en todo el cuerpo le daban un aspecto agotado y deshidratado.

El sol había llegado a su cenit y a medida que se acercaban a tierra, la sombra de la roca como un filtro monumental y mágico teñía de color una exigua franja del puerto y daba forma y definición a la primera hilera de casas de paredes pintadas de azul y ocre. Y apareció la pequeña plazoleta que se había hecho un lugar entre ellas con las dos hileras de escuálidas y polvorientas moreras cubiertas apenas de hojas resecas y tostadas, y las dos mesas vacías frente al café cerrado aún y desierto, como todo el pueblo que pese a haber quedado en parte sumergido en la sombra hervía aún por la solana del día. Nadie había en el muelle salvo dos hombres inmóviles de pie junto al agua que parecían esperar la llegada de la barca y de su trofeo. Puertas y ventanas estaban cerradas, no corría el aire, no se oían voces, no había gatos, ni perros, ni niños, ni casi ruidos, ni volaban las gaviotas en la asfixia del mediodía. El tiempo se había detenido y el mundo con él y únicamente la silenciosa caravana se movía en ese lugar vencido.

—*Rihno agira, agira* —chilló el barquero.

Tom miró a Leonardus.

—¿Qué dice?

—Que eches el ancla.

Tom pasó de un salto de la popa a la proa y largó el ancla cuando apenas quedaban veinte metros para el muelle. El súbito chasquido contra el agua y el martilleo metálico que le siguió ahogaron un instante el zumbido del motor y se levantaron aleteando enloquecidas las gaviotas del albañal. El barquero lanzó de nuevo el cabo a la cubierta del *Albatros* que ya perdía la escasa velocidad del arrastre, y una vez liberada su barca dio vueltas y más vueltas atenta la mirada a la inercia del velero como si la exactitud del amarre dependiera únicamente de él y de sus alaridos. Y cuando ya la popa caía hacia el muelle entabló a voces un diálogo con los dos hombres, y con trasiego de cabos y bicheros amarraron entre todos el *Albatros* casi sin contar con él, como se le hace la cama a un enfermo. Los dos hombres ataron los cabos a los cáncamos del muelle y enrollaron meticulosamente el sobrante, y a una orden del barquero desaparecieron por una calleja estrecha que arrancaba de la plaza.

El barquero apagó el motor y dejó su barca amarrada también, y con una agilidad de mono impropia de su rostro martirizado por las arrugas y de esas piernas delgadas de los ancianos que asomaban por las perneras arremangadas del pantalón, se encaramó por los salientes del muro y saltó a tierra, y sin esperar a que Tom tendiera la pasarela cobró el cabo de popa del *Albatros* y de un brinco salvó la distancia y se quedó de pie en la bañera donde se habían sentado los cinco sin saber exactamente qué hacer. Tom trajo agua fría, hielo y limones.

Era un hablador incansable, se quitó la gorra varias veces y se la volvió a poner alisándose los cabellos ralos y endebles, luego encendió un cigarrillo que dejó apoyado en la madera hasta que Tom lo vio y se lo devolvió y él se lo puso en la boca sin moverlo ya más e inició entonces una larga perorata acompañándose de gestos y muecas.

Se llamaba Pepone bramó casi, y para tranquilizar a Leonardus que pedía a gritos un mecánico le dijo que él mismo había enviado a los hombres a buscarlo y que no tardarían en volver. Después, como un juglar que hubiera esperado impaciente a su público, comenzó a recitar una historia probablemente repetida mil veces. Hablaba en italiano mezclado con el español que había aprendido en la Argentina, dijo, a donde había ido con su familia cuando su padre era contramaestre en el *Messimeri* y la desgracia no se había abatido aún sobre ellos. Porque aunque costara creerlo, ésta había sido la isla más rica del Mediterráneo. En las calles adoquinadas con piedras de la Capadocia se levantaban casas señoriales construidas con mármoles de Carrara, maderas perfumadas de Oriente y cristales de Venecia, y en las márgenes del puerto se sucedían los almacenes y los tinglados, y los obradores de jarcias y los talleres donde se confeccionaban las velas más fuertes y mayores de todo el Levante. ¡Ah, la época de los veleros! Barcos con vida y temblor, barcos huraños o sumisos, alegres, pesados, perezosos, no como los mastodontes de humo y chimeneas que los sustituyeron. Yo aún he conocido esta ensenada tan llena de veleros que desde aquí un bosque de mástiles habría escondido las laderas. Y miró con melancolía las ruinas donde crecían ahora, inocentes y silenciosos, el mirto y el arrayán. En la entrada de la bahía y a veces casi en mar abierto se alineaban los veleros fondeados a la espera de un amarre libre donde atracar y descargar la mercancía.

Traían damascos y piedras preciosas, o granos y especias que cambiaban por armas, grandes cajones claveteados que desaparecían en las sentinas de los barcos y zarpaban rumbo a las guerras. Vociferaban los vendedores ante las aduanas y frente al mercado, y señaló del otro lado de la plaza un sombrío edificio vacío ahora y medio en ruinas, y cantaban las adivinas la suerte de los marineros, y mujeres hermosas y altivas envueltas en sedas se acercaban al puerto a despedir a los que partían a países lejanos. Y del otro lado por la parte de la playa, se extendían hasta el agua huertas bordadas como jardines en cuyos lindes daban sombra higueras, cerezos, albaricoqueros y nísperos, y había caminos de almendros y viñas verdes hasta el mar, y los pescadores volvían al atardecer cargados de pescado que colocaban como un dibujo sobre las cestas, y de las laderas bajaban los rebaños de ovejas cuya leche agriada envolvían las mujeres con hierbas olorosas y escurrían en paños de lino hasta convertirla en grandes quesos que llevaban envueltos en paños blancos sobre la cabeza, camino del mercado. ¿Veis aquello? y señaló un pilón de cemento en la otra esquina de la plaza junto a una columna medio derruida. Allí había una fuente con siete caños, y grandes esculturas de la sabiduría, la gracia y el poder, con peces y sirenas y hojas de acanto.

—Este hombre es imparable —dijo Chiqui dando un bufido y al ir a levantarse Martín la retuvo.

—Siempre había fiesta y alegría —continuó el barquero sin darse por enterado— porque había dinero —y movió el índice y el pulgar bajo los ojos de Chiqui—, mucho dinero. Veinte mil habitantes tenía esta isla, más de veinte mil, sin contar con los forasteros que podían llegar a ser dos o tres mil más. Pero luego vinieron los barcos de vapor y poco a poco fueron pasando de largo, y quedamos abandonados en ese extremo del Mediterráneo. Eso fue el principio.

Más tarde vino una guerra, después otra. Ahora quedamos apenas doscientas personas. Todos se fueron, a todos se nos llevaron cuando comenzaron los bombardeos. Los italianos nos invadieron, los ingleses los expulsaron a bombas, se quedaron con la isla y la convirtieron en un polvorín. A nosotros nos enviaron a Palestina, al Irak, a Australia. Y cuando todo acabó, aquí no quedó nada ni nadie.

De pronto se calló. Una figura alta y sombría atravesaba la plaza flanqueada por dos perros alanos, fuertes y pardos con las orejas caídas, el hocico romo y arremangado y el pelo corto, que marchaban a su mismo paso vacilante. El hombre llevaba un alto birrete del mismo color de ala de mosca que la sotana raída y una larga barba le llegaba casi hasta la cintura, y aunque caminaba erguido sin mirar más que al frente era evidente que intentaba conservar el equilibrio. Pero aun así, formaban los tres un conjunto altivo.

—Es el Pope con sus perros que va a tocar la campana de la tarde.

Se hizo un sitio entre Andrea y Chiqui y agachándose como si fuera a contar un secreto jocoso, o quizá temeroso de que el Pope pudiera oírle, se tapó la boca con la mano y añadió:

—Siempre está borracho. Por esto está aquí, por borracho. Dicen que fue desterrado hace muchos años pero ahora es él quien manda aquí. —Y recuperando la amplitud de gestos que había utilizado para cantar los tiempos gloriosos de la isla sentenció—: Como un rey destronado que se erige a sí mismo reyezuelo.

—¿Por qué lleva esos perros? —preguntó Chiqui a Leonardus.

—Porque le gusta —contestó Pepone—, porque está loco. En esta isla todo el mundo está loco. Mira ésta —y señaló el muelle—, Arcadia, la visionaria.

Era una vieja alta, delgada, de huesos estrechos y

alargados como las sombras, envuelto el cuerpo y la cabeza en un harapo continuo que arrastraba como un manto demasiado largo, del mismo color tostado que la piel de su rostro sin mejillas. Caminaba por el muelle dando someros tumbos y a los pocos pasos desapareció en un portal o en una bocacalle, era difícil saberlo desde allí.

—Está buscando su casa. Volvía del pueblo cuando la sorprendió el bombardeo y no logró encontrarla. No había más que un inmenso agujero, y desde entonces hurga en las ruinas buscando a sus hijos. —Y se rió—. No come ni duerme jamás, no tiene casa, no habla con nadie la vieja Arcadia, se limita a canturrear y caminar desde el alba hasta la noche cerrada y buscar sin descanso desde hace más de cuarenta años.

—Pues vaya isla a la que hemos ido a parar —dijo Chiqui.

Llegaron entonces los dos hombres y el mecánico que Pepone había enviado a buscar. Saltaron a bordo y se volcaron los tres sobre el motor hablando entre sí como si a nadie más importara la avería. Y entonces Pepone, recuperado su papel de intermediario, se dirigió a Leonardus y después de reclamarle el pago de la operación de remolque, le comunicó con una seguridad no exenta de cierta alegría, que no podrían zarpar por lo menos hasta el día siguiente, porque no había en la isla la pieza de recambio que necesitaban. Y añadió que habían tenido suerte, aunque por el tono parecía indicar que no la merecían en absoluto, porque el barco que una vez cada semana hacía la travesía de ida y vuelta desde Rodas, llegaba precisamente los miércoles, es decir, mañana. Dimitropoulos, el mecánico, iría a llamar ahora mismo siempre que el teléfono funcionara, y ellos, entretanto podían visitar el pueblo, e hizo un amplio gesto con el brazo para dar a entender que algo habría por ver en aquellas calles vacías y aquellas laderas desoladas. Él, por supuesto, estaba a su disposición para llevarles con la barca a donde quisieran. ¿Deseaban acaso visitar la cueva azul, la más hermosa de cuantas cuevas había en las islas del Dodecaneso? Hoy precisamente era el día adecuado porque la calma permitiría entrar en ella sin dificultad. ¿O preferían mañana por la mañana cuando la luz del sol, y señaló el lejano segmento de horizonte entre las bocanas del puerto, entrara por la ranura y se polarizara en tonos irisados de color azul? Él vivía allá, en la casa ocre junto al café. No tenían más que llamarle y gustosamente les atendería.

La inmovilidad o quizá la certidumbre de que habían de permanecer al menos un día en la isla incrementaba el calor que después del mediodía se había condensado, y aunque la línea de sombra de la roca se desplazaba ganando terreno a la bahía, faltaba el aire incluso en cubierta. Leonardus se había quitado la chilaba y había prendido el ventilador de su camarote, y tumbado en la litera con la puerta abierta de par en par para crear una corriente de aire inexistente, transpiraba y resoplaba como una ballena.

Las dos veces que en el transcurso de la tarde Martín se había asomado a cubierta no había visto un alma por el muelle. Chiqui se había puesto los auriculares de Tom y seguía el compás de la música con el cuerpo sudoroso mientras los dos hombres hablaban en voz baja como si no quisieran despertar al pueblo sumido en la siesta. Pepone y su barca habían desaparecido.

—Acabaremos deshidratados —gritó Chiqui a Martín desde cubierta sin siquiera quitarse los auriculares cuando le vio sacar agua de la nevera.

Hacia las seis dos mujeres con barreños en la cabeza atravesaron la plaza, como comparsas contratadas para aderezar un escenario hasta ahora desierto y mostrar al público que la función iba a comenzar. Al poco rato el estruendo de la persiana metálica del café rompió el silencio de la tarde. Un hombre con delantal blanco sobre la inmensa barriga sacó un par de veladores más y varias sillas que colocó bajo las moreras y un poco más tarde avanzaron hacia el centro de la plaza tres ancianos apoyados en su bastón que tomaron asiento, sacaron de una bolsa un montón de fichas de hueso y las echaron sobre la mesa. El dueño del bar les llevó unas cervezas. Se movían despacio pero nadie hablaba aún, quizá esperando que remitiera el bochorno. Se abrió el balcón de la casa frente al *Albatros* y un hombre y una mujer ocuparon dos asientos frente a frente separados por una mesa de madera; sin hablar, sin mirarse apenas, se dispusieron a contemplar lo que iba a ocurrir con la inusitada llegada de ese barco al puerto. Él vestía una chaqueta de pijama y ella, mucho más corpulenta, envuelta en una bata floreada, llevaba un pañuelo amarillo en la cabeza y se abanicaba con un pedazo de cartón.

Entre las brumas del sopor y el sudor, Martín miraba el reloj una y otra vez para cerciorarse de que las agujas se movían, pero el tiempo parecía no tener impulso para avanzar.

Un golpe en la puerta le asustó.

—¿Qué ocurre?

—Yo voy a dar una vuelta por ese maldito pueblo —dijo Chiqui con la voz crispada—. ¿Alguien quiere venir? Si me quedo un minuto más en este barco voy a arder.

—No estará mucho mejor fuera.

—Da igual, yo me voy.

—¡Yo no! ¡Yo me quedo! —bramó Leonardus desde su camarote.

La sombra de la roca se había fundido ya con la línea del horizonte. Sin embargo, persistía la luz hiriente del día sostenida por una humedad viscosa que se negaba a desprenderse de la piel y de los suelos. Graznaron las gaviotas del albañal y como un resorte pulsado por error se puso en marcha la cadencia rítmica de la central eléctrica.

III

Eran las siete cuando, más por la esperanza de que con el atardecer remitiera el bochorno que por haber percibido un indicio de brisa, un hálito de frescor, Andrea, Chiqui y Martín decidieron ir a tierra.

Martín saltó al muelle y luego retrocedió para dar la mano a Andrea en un gesto casi mecánico, seguro de que ella le seguía y de que agarrada con una mano al estay de popa alargaría la otra para tomar la suya temblando por el vértigo pero apaciguada al mismo tiempo por su propia sumisión y por la ayuda que él le prestaba.

Chiqui, en cambio caminó con seguridad y casi con indiferencia por la pasarela, sin evitar en absoluto mirar el agua oscura y maloliente a la que, estaba segura, ni iba a caer ni quería echarse, como había explicado el primer día Andrea de sí misma. Luego los tres caminaron por el muelle y la plazoleta, despacio, para no alborotar el calor inerte de la tarde.

Al pasar frente a la antigua lonja, un atrio sostenido por melladas columnas de mármol con los mostradores del pescado conservando aún el orden circular y las mesas laterales arrimadas a las paredes, se detuvieron y entraron. Olía a pescado seco y a sebo. Resonaron las voces en la bóveda vacía y se arrastraban las palabras, desprendidas de sus ecos, por la superficie marmórea de los antiguos mostradores. Una golondrina desbarató el silencio y fue a esconderse en su nido en la viga más alta.

Al hacerse a la oscuridad descubrieron en un rincón un hombre sentado en el suelo, apoyada la espalda en una columna y la cabeza doblada sobre el pecho. Estaba inmóvil envuelto en un trapo y los pies descalzos asomaban por debajo. Junto a él, desplegado sobre las losas, un paño oscuro mostraba una colección de objetos diversos. Andrea y Chiqui se acercaron a curiosear: un pequeño cajón con postales amarillentas de la isla en épocas de antiguos esplendores, cartones cortados a mano con zarcillos, aros, cuentas de colores, collares, cajas de cerillas y una caja de cartón llena de cintas elásticas de todos los colores.

—¿Qué son esas cintas? —preguntó Chiqui y levantó la cabeza sorprendida por el cercano eco de sus propias palabras.

—¿Qué son esas cintas? —repitió en voz más baja.

El hombre se desperezó y sin mostrar intención ninguna de incorporarse, levantó hacia ellos la cabeza un poco ladeada y les miró con un solo ojo: el otro, mucho mayor, estaba fijo e inmóvil, era blanco y lo mantenía abierto sin ningún rubor. Luego tomó una cinta con la mano y con gestos les indicó que era una cinta para sostener las gafas.

—¿Tan corta? —preguntó Chiqui, que sólo había visto los largos cordones que utilizaban Leonardus y Andrea.

—Éstas son para navegar, se mantienen fijas las gafas aunque te zarandee el temporal. Son las que utilizan los marinos —dijo Andrea y se volvió sonriendo hacia Martín.

—No tengo este modelo —añadió—, debe de ser el único que me falta. —Volvió a sonreír y mirándole como si se refiriera a un secreto que compartían escogió una de color azul, y mientras él intentaba descubrir el precio de la compra en dólares que el hombre le reclamaba, sacó las gafas oscuras de la cesta y comenzó a pasar las varillas en los ribetes que formaban los extremos de la cinta.

Nunca había logrado saber hasta qué punto necesitaba las gafas porque podía estar durante horas sin ellas y en cambio de repente era incapaz de continuar lo que estaba haciendo si no las encontraba. Y aunque preguntaba siempre si alguien las había visto bien es cierto que jamás esperaba una respuesta. Tal vez por eso creyó entender desde el principio que no eran sino un pretexto para dar por terminada una conversación que había comenzado a aburrirle o para cambiar de grupo cuando quería estar en otra parte, a veces precisamente donde se encontraba él. Pero a medida que fueron pasando los años era cada vez más evidente que las necesitaba, sobre todo de noche, aunque siguiera sin llevarlas y las perdiera y las buscara después, pero en contra de lo que podía parecer no para esconder su miopía sino porque no había acabado de convencerse a sí misma de cuánto las necesitaba.

Desde que le había dejado solo en la terraza aquel primer día, deshaciendo la figura lánguida a la que él habría querido contar su historia, no podía recordar las veces que se había repetido la escena. Y cuando aquel mismo verano, exactamente el viernes de la semana siguiente, volvió a la casa de la playa con Federico, que había sido emplazado de nuevo por Sebastián, le llevó una cinta azul con dos arandelas para sujetar a las varillas de las gafas y poder llevarlas colgadas del cuello.

La había guardado en el bolsillo del pantalón y tenía la mano dispuesta para dársela en el momento en que pudieran quedarse solos en la terraza como había ocurrido la semana anterior. Había imaginado ese encuentro desde el instante en que ella acudió a la puerta por la tarde a despedirse de ellos a toda prisa porque Federico tenía que estar temprano en la ciudad esa noche, y aunque a lo largo de la semana desde su repentina soledad había aguzado el oído para descifrar las palabras que pronunció al darle la mano y él había perdido entonces, o para confirmar las que no había sido capaz de creer que había oído, no estaba seguro de que ella hubiera susurrado exactamente, vuelve pronto por favor. Quizá sí había dicho vuelve pronto y lo que no había comprendido fuera por favor, lo cual le llevaba a suponer que ella, de un modo u otro, le estaría esperando, aunque tampoco ese convencimiento servía para tranquilizarle sino todo lo contrario: le temblaba la mano en el bolsillo y le fallaba la voz cada vez que intentaba hablar. Pero había pensado tanto en la forma en que ocurriría, quizá para que no le traicionara la timidez y el nerviosismo, que estaba seguro de que en cuanto llegaran a la casa Federico y Sebastián se enfrascarían en sus papeles, y entonces él saldría a la terraza y desde la sombra del toldo, en una posición entre indolente y abstraída de la que había previsto incluso el detalle de cómo iba a apoyar la mano en el barandal, se echaría el pelo hacia atrás igual que le había visto hacer a ella y, como si saliera de las profundidades de su ensimismamiento, levantaría la mano con una cierta sorpresa pero con absoluta naturalidad en cuanto ella dejara de nadar y le llamara a gritos haciendo bocina con las manos:

—¡Eh, Martín, eh! —La estaba oyendo.

Pero casi nunca ocurren los hechos como los habíamos imaginado porque la situación sobre la que montamos nuestras previsiones responde a elaboradas fabulaciones que se fundamentan sólo en la fantasía y nunca tenemos en cuenta el deseo y el anhelo que cambian el sentido y ocultan o enmascaran a su conveniencia lo esencial y lo palmario. Y aventuramos un quimérico devenir partiendo de premisas casuales, parciales y siempre inexactas, y después achacamos al destino o la fatalidad la falacia de nuestro vaticinio.

No apareció durante el día y él, que seguía estrujando la cinta en el bolsillo, cuando creyó que su impaciencia había llegado al límite y que ya no podría resistir un minuto más sin saber a qué atenerse, a pesar de que no se oía el más leve chapoteo y de que ya era noche cerrada señaló un punto invisible en el mar y preguntó en el tono más natural que le permitió su voz deshecha por los cigarrillos que no había dejado de fumar en todo el día: —¿No es Andrea la que llega por aquella parte?

—No —respondió Sebastián y levantó extrañado la cabeza hacia la terraza—. Andrea ha ido a la montaña a recoger a los niños, que han pasado unos días con los padres de Carlos. Llegarán mañana —dijo—, y Carlos con ellos, supongo. Carlos es su marido, tú le conoces... —y se dirigió a Federico para acabar de contarle sobre Carlos lo que él ya no fue capaz de oír.

En las quimeras y sueños de la semana, en sus reminiscencias y conjeturas, en la construcción de los futuros utópicos y las biografías que le habían ocupado tanto tiempo, en los proyectos que había de realizar y los obstáculos que había de vencer, en las escenas imaginadas, edulcoradas, perfeccionadas, reales casi de puro vivirlas y revivirlas a todas horas, lo único que no había previsto era unos niños y un marido.

Siguió mirando fijamente la oscuridad del mar y se dedicó a revisar una a una las luces de tope de las barcas fondeadas para tranquilizar así su confusión y salir del desconcierto, del mismo modo que la persona irritable, consciente del rapto de furor que está por asomar, cuenta hasta diez antes de hablar para darse a sí misma el tiempo necesario de recobrar la calma y a la situación sus verdaderas dimensiones.

La cinta azul permaneció en el bolsillo, pero como si el conocimiento de esa nueva circunstancia le hubiera desarmado y tranquilizado a un tiempo dejó de estrujarla y casi la olvidó. Y cuando a la mañana siguiente tumbado solo en la playa se preguntaba con una cierta melancolía qué sentido tenía ahora el curso intensivo de natación al que se había apuntado y al que ya había asistido con terror todos los días de la semana para intentar aprender antes de que ella pudiera darse cuenta de que apenas sabía nadar, olvidó también que podía llegar precisamente en aquel momento. Y así fue. Irrumpieron en la playa por la puerta por la que ella había desaparecido el sábado anterior dos niños desnudos de unos cuatro o cinco años, tan rubios y tan iguales que se quedó absorto mirando sus gestos repetidos, el mismo color pajizo de los cabellos, la misma forma de andar dando tumbos por las piedras, la misma mirada fija en él al principio y luego, y con el mismo gesto de indiferencia, igual movimiento de sus hombros antes de darse ambos la vuelta para chapotear en la casi imperceptible rompiente de las olas. Y no había tenido siquiera tiempo de reconvertir la situación para adjudicarles el papel de hijos de Andrea, cuando apareció ella con el traje de baño del primer día y, como si fuera lo más natural que él estuviera tumbado en esa playa porque era el lugar que sus designios ocultos le habían adjudicado, con un gesto de apremio pero asomando a la vez en la comisura de sus labios o en la ternura de sus ojos entornados una expresión de burla hacia sí misma quizá o, pensó, hacia él que no lograba adecuarse al tiempo y propósitos de esa mujer sorprendente, le alborotó el pelo con la mano al pasar y le preguntó cuando ya casi había llegado al agua con los niños:

—¿No habrás visto por casualidad mis gafas en la sala, corazón?

Se acordó de la cinta en aquel momento y fue al pretil donde había dejado la ropa, y aunque nada era como había imaginado le embargó una urgencia feroz por dársela, quizá por borrar así la zozobra que le había producido esa inesperada palabra cuya índole no quería dilucidar ahora, ni saber si se debía a la ligereza con que la había dejado caer o a la presunción de dar por consumadas en esa historia más etapas que las que él, en su impaciencia, habría estado dispuesto a aceptar. Volvió hacia ella, que se había agachado sobre las piedras junto a los niños, y sin apartar con la mano el pelo que le caía por la frente, se la alargó y dijo:

—Es para ti.

Tampoco había previsto la mirada de sorpresa ahora al levantar la cabeza, ni el beso breve en los labios asiéndole las orejas, ni que le dejara solo con aquellos niños minúsculos que se adentraban en el agua y se zambullían y se alejaban, ni que se tumbara a su lado después poniendo la cinta en las varillas de las gafas que había recuperado y las dejara caer sobre el pecho, alargando el cuello para ver qué efecto producía ese nuevo e inesperado collar. Y sin embargo todo ocurrió de forma tan natural que esta vez olvidó la existencia del marido.

Lo vio luego, casi a la hora de comer, cuando Andrea ya había vuelto a entrar en la casa.

—Echa una ojeada a los niños, ¿quieres? —le había dicho al irse.

—Pero...

—No te preocupes, saben nadar, y nunca van demasiado lejos. —Y se fue.

Entonces, doblando el cabo que cerraba la playita por el norte, apareció él, solo al timón de la *Manuela* que avanzaba con tan extremada lentitud que cuando dejó el motor en punto muerto apenas acusó la reducción de velocidad. Fondeó el ancla por la popa y con un par de saltos llegó hasta la proa cuando quedaba hasta el muelle poco menos de una braza que salvó de un salto con el cabo en la mano y se volvió con rapidez para detener la barca antes de que chocara con el espolón. Tiró del cabo de proa, lo lazó sobre una argolla, volvió a saltar a cubierta y corrió a cobrar la cadena del ancla para dejar la *Manuela* amarrada. Nunca le había visto pero lo reconoció enseguida. Por la seguridad de su parsimonia o de la forma en que levantó la mano y sonrió al saludarle como si las presentaciones ya hubieran sido hechas, o más probablemente porque tenía los cabellos del mismo color pajizo que los gemelos, Adrián y Eloy se llamaban, le había dicho Andrea. Estuvo más de media hora para desarmar el toldo, adujar los cabos, baldear la cubierta, sin prisa alguna ni precipitación, enfrascado en lo que hacía. Cuando hubo terminado subió por la borda a los dos niños izándolos por las manos, luego se sentó en un banco de cubierta, encendió un cigarrillo, puso una pierna sobre la otra y fijó la mirada en algún punto de la costa a babor sin apartar de él los ojos mientras fumaba con calma y una cierta fruición. No era muy alto, pero era fornido y tenía el cuerpo sólido y la piel tostada.

—Yo no soy más que un niño —pensó Martín.

Y no era en verdad más que un niño, un adolescente con un cuerpo todavía sin acabar que había crecido demasiado deprisa y que seguía arrastrando la misma pereza de cortarse el pelo que cuando vivía en Ures y su madre le llevaba a rastras a la barbería cada dos semanas para salir con el cogote rapado y oliendo a colonia de alcanfor. Un pelo claro que ahora le cubría la frente y el cuello de la camisa cuyo color no había acabado tampoco de definirse, igual que no se había curtido la piel y apenas había aparecido una pelusilla de barba en la cara. Tienes la piel lisa de los asiáticos, debes de tener un antepasado asiático o africano, había de repetirle Andrea aquel mismo verano tantas veces que acabó adquiriendo conciencia de su propia singularidad, y se agarró a ella para prevalecer sin desazón frente a todos los privilegiados que le rodeaban, mayores que él, con andares más seguros o torsos más robustos y que, en lugar de sus dos camisas de ciudad cuyas mangas enrollaba hasta los codos para darles un aspecto veraniego que no podía lograr de otro modo, vestían en cada momento la prenda adecuada —el jersey blanco echado displicentemente sobre los hombros al atardecer, pantalones cortos por la mañana y viejos pantalones descoloridos por el uso y el salitre cuando salían a pescar.

Le vio luego a la hora de comer y por la tarde en alguna parte. Era un hombre silencioso pero no adusto y en realidad lo único que no le gustaba de él es que fuera precisamente quien era. O tal vez esa disimulada atención que prestaba a Andrea, una cierta indiferencia en el trato sin que se le escapara un detalle de lo que hacía o necesitaba, igual que los padres pueden atender a los movimientos del hijo mientras mantienen una compleja discusión y sólo intervienen en el momento preciso en que va a caer el objeto que han agarrado o cuando hay que cerrar el grifo o apartarle del enchufe. Y esa forma de ponerle la mano en el hombro, de cobijarla casi, y con la otra llevarse la pipa a la boca con el aire de un profesor de literatura inglesa que hubiera salido a la puerta con su mujer a despedir unos amigos. Se movía por la casa y por la playa con tal naturalidad, dando órdenes y sirviendo copas que, cuando a su vuelta de Nueva York se enteró de que la casa le pertenecía a él y no a Sebastián, comenzó a atisbar la verdadera relación que le unía a su suegro, aunque ni incluso ahora, después de tantos años de vivir con Andrea, podía aún comprender en qué había consistido el vínculo que le había unido a su mujer.

Pero aun así y en contra de los funestos presentimientos que la aparición imprevista de aquel hombre rubio le había hecho albergar ese mediodía en la playa, antes de acabar el mes de agosto había aprendido a nadar con la suficiente habilidad como para, al socaire de la noche, llegar hasta la *Manuela* donde le citaba Andrea cuando apenas quedaban rezagados en las calles y en los bares los camareros habían comenzado a poner las sillas sobre las mesas, cesaba la música y el pueblo se sumía en el silencio. Lo tomaba con calma y salía de la pensión donde se hospedó los demás fines de semana del verano mucho antes de la hora, por la impaciencia pensaba él, pero en realidad se dejaba llevar de la cautela y, consciente de su inexperiencia, quería tomarse su tiempo para echarse al agua, llegar a la *Manuela*, fondeada apenas a cincuenta metros del muelle y saltar a cubierta sin testigos, porque nunca estaba seguro de no caer cuando, al agarrarse al mascarón, pusiera el pie en el cáncamo de la roda como le había enseñado ella y se aupara para dar el salto sobre la cubierta húmeda y resbaladiza. Pero casi siempre ella ya estaba esperándole.

Aquél había sido un verano de grandes calores. Ni un solo día entró el viento del norte cuya indomable tenacidad durante siglos había dejado sin vegetación, yermas y escuetas, las terrazas de pizarra que se perdían bajo el mar. A mediodía, cuando los tenderos cerraban para tomarse el tiempo de dormir la siesta en las profundidades umbrosas de la trastienda, no se oía más que los gritos de los niños en las playas, redoblándose su eco en la calina suspendida sobre el mar, y no volvían a levantar la persiana hasta que en el cielo los vencejos piando alborotados salían de la espesura de las grandes catalpas del paseo y rasgaban el cielo anunciando el atardecer. Por la noche el agua caldeada por el implacable sol del día entero era tibia y espesa y al nadar a brazadas para no hacer ruido y mantener alta la cabeza se maravillaba de la fosforescencia que creaban en el mar sus propios movimientos.

La primera vez sin embargo no había ido a nado sino que Andrea le había recogido en la playa. Ocurrió durante el tercer fin de semana. El miércoles no tenía idea aún de cómo ir al pueblo, ni siquiera sabía, en contra de lo que había decidido la primera vez, si realmente podría ir porque Federico estaba de viaje y había un trabajo urgente en las playas de la Barceloneta el sábado por la noche. Pero Andrea, a la que él creía navegando bajo el sol de sus vacaciones de agosto, le había llamado por la mañana desde la ciudad para invitarle a una cena esa misma noche con una pareja de actores a los que después ella tendría que hacer una entrevista. El resto del día se le fue en hacer cábalas y construir proyectos adecuándolos a la evolución de los acontecimientos que siempre parecían venir a desmentir los supuestos anteriores. Se presentó acompañada del amigo de su madre que había comido con ellos el primer día que estuvo en la casa de la playa. Llevaba un chaleco blanco y la corbata ancha con grandes flores chillonas más espectacular aún sobre el inmaculado traje de hilo, la piel morena y el mostacho que le llenaba la cara.

—Es Leonardus, ¿le recuerdas?

Desde la mesa del restaurante a donde había llegado con demasiada antelación les vio venir riendo y vociferando. Andrea llevaba las gafas colgadas de la cinta y ni la falda estrecha y cortísima ni los altísimos tacones le impedían moverse con la misma soltura con que descalza bailaba sobre las piedras de la playa. Llegaron después los dos actores, un matrimonio entrado en años que cumplían las bodas de oro en la profesión esa misma semana, tan habladores que durante la cena estuvo silencioso escrutando con disimulo la dirección de su mirada.

—¿Cuántos años tienes? —le preguntó ella en un aparte.

—Veintidós.

Le dedicó una sonrisa fugaz, un tanto indulgente, consciente de su incertidumbre y timidez. —¡Qué más da! —dijo al fin respondiendo a una pregunta que en cambio él no le había hecho.

Y eso fue todo lo que se dijeron en aquella cena interminable que sin embargo ella y Leonardus parecían disfrutar. Después, cuando le dejaron en casa e iba ya a meterse en el portal, le había preguntado desde la ventanilla del coche a qué hora llegaría ese viernes, con la misma dicharachera naturalidad con que había querido saber si había visto sus gafas en la sala, corazón, y él no supo qué responder. Fue ella la que, con el tono de quien sabe que sus órdenes por la coherencia y el tono en que han sido dictadas no admiten apelación, le organizó el viaje con Leonardus, que tenía intención de ir él también a Cadaqués el viernes por la noche.

—Yo iré mañana —añadió como si diera un detalle sin importancia pero segura de que él había de oírla—, después de dejar en el aeropuerto a Carlos que sale para la Argentina.

El viernes a la hora convenida Leonardus ya estaba en la puerta cuando él bajó. Venía en un gran coche negro con chófer y una chica rolliza y silenciosa a la que durante todo el viaje estuvo dando palmadas en los muslos para corroborar cuanto decía. A medio camino se detuvieron a cenar y le bombardeó a preguntas sobre su trabajo y su tiempo libre, cómo había comenzado y por qué había ido a trabajar con Federico, y a cada cuestión cerraba los ojos frunciendo los párpados como si quisiera concentrar más la mirada. La chica apenas habló en toda la noche.

—¿Cuántos años tiene Andrea? —preguntó de pronto Martín con la brusquedad y la poca oportunidad de los tímidos.

Leonardus rió y dio otra palmada al muslo de la chica, que permaneció inmóvil.

—¿Cuántos dirías tú? —preguntó él a su vez.

—Quizá veinticinco, veintisiete —una edad calculada por la que les suponía a los gemelos porque de hecho no había pensado en ello hasta la noche de la cena.

—Si ésos son años que crees, ésos son los que tiene. Yo sé los míos, tengo cincuenta y dos. Soy un anciano a tu lado.

Al despedirse, cuando lo dejó en el bar de la playa, le dijo distraídamente:

—Te llamaré un día y a lo mejor hacemos algo juntos.

Martín pidió un café y se dispuso a esperar con el convencimiento de que de algún modo Andrea sabría que él había llegado. Pero a las dos de la madrugada no había aparecido. Entonces tomó la cuesta de la iglesia donde el mozo del café le había dicho que su padre tenía una pensión y se disponía a entrar en ella cuando un grupo de diez o doce personas salió de un bar cercano. Martín no la vio entonces pero ella sí, se apartó de los demás y sin que se diera cuenta se colgó de su brazo.

—Te estuve esperando —le dijo.

—¿Dónde? —preguntó él—. No veo yo que seas tan impaciente como dijiste en el mar.

Andrea, tal vez por el efecto de las copas o porque el súbito encuentro no le había dado tiempo a hacerse con la situación, se echó a reír tan sonoramente que en el balcón de la casa de enfrente asomó la cabeza una mujer chillando y conminándoles a callar.

—Ven —dijo entonces en un susurro, y se arrimó a él como si de repente con el silencio le hubiera entrado frío—. Ven —repitió.

—Espera —dijo él apartándola con cuidado, entró en la pensión, pidió una habitación, dejó la bolsa y volvió a salir.

Andrea se había apoyado en la pared y parecía haber perdido toda iniciativa. Llevaba una casaca muy corta de mangas largas y anchas y unas sandalias con una tira apenas visible, las gafas le colgaban de la cinta azul sobre el escote y la humedad había encrespado tanto sus cabellos que cuando Martín le tomó la cabeza para acercarla a la suya, por un momento el contacto de esa masa esponjosa borró cualquier otra sensación. Después le besó un párpado, luego el otro y le dijo muy quedo al oído: —Vamos.

El mar en calma a los reflejos de las luces de las ribas mostraba el fondo cubierto de algas. Brillaban como manchas en la oscuridad las balizas y los cascos blancos de las primeras barcas fondeadas y tras ellas quizá la intensidad de zonas más oscuras hacía adivinar otras y otras como telones borrosos superpuestos. Andrea se quitó la casaca de algodón y las sandalias y lo dejó todo en el suelo con las gafas, sin apenas preocuparse de ellas, igual que su madre se había puesto un cigarrillo en la boca segura de que alguien habría de encenderlo, le susurró al oído «espera un minuto, vuelvo al instante con la *Manuela* y se metió en el agua tibia aún de sol. La estela de su cuerpo al alejarse fue ensanchándose hasta que abarcó la totalidad de la pequeña bahía y el vértice desapareció en la oscuridad y sólo quedó en el aire el rastro de un chapoteo acompasado que al poco rato dejó de oírse.

Se sentó en el suelo. El cielo era negro, el agua

oscura tenía la calidad espesa de petróleo que adquiere a veces en las noches de bochorno. Le habría gustado saber cuál era la *Manuela* pero para los de tierra adentro, pensó, todas las barcas son iguales como son iguales para los miembros de una raza los rasgos de los de otra. En los fines de semana siguientes, cuando ya formaba parte del grupo heterogéneo que se reunía todos los mediodías en la terraza de la playa, y cuando sin saber muy bien qué decirles, porque era reservado, silencioso y tímido y no tenía ganas de hacer esfuerzo alguno para desmentirlo, asistía pasivo a sus inacabables conversaciones y debates, habría de intentar descubrir los detalles precisos que según Andrea caracterizaban cada una de las barcas que cruzaban la bahía. ¿Ves ésa con la proa levantada y popa de espejo? Así son las barcas de Tarragona. Pero Martín nunca supo qué era el espejo de una barca ni una popa de revés, ni logró percatarse de esa diferencia en la altura o el lanzamiento de las proas que al parecer constituía una forma inequívoca de conocer las barcas por su origen. Y al terminar el verano no era aún capaz de distinguirlas más que por el color de la pintura, por la escalerilla que llevaban adosada, o como mucho, por la altura del tambucho. Nunca pudo, como ella, reconocerlas por la forma de navegar y afrontar la proa la marejada con el sol de frente que oscurecía el contorno de las siluetas lejanas o cuando a la hora del crepúsculo se confundía el mar con el cielo y eran apenas una mancha que avanzaba medio escondida por la marejadilla.

Tras el horizonte se adivinaba un pálido resplandor de la luna que no tardaría en aparecer. Al poco rato en la lejanía rompió el silencio el leve zumbido de un motor y en unos minutos más apareció de frente la *Manuela* acercándose lentamente hasta que la quilla rozó la arena. Desde el suelo la proa se alzaba contra el cielo y ocultaba a Andrea, que al poco asomó la cabeza y le dijo quedamente:

—Anda, sube.

Martín se quitó los zapatos y se los dio con la casaca, las sandalias y las gafas, se agarró al botalón con una mano y saltó a cubierta.

La *Manuela* se apartó de la playa en marcha atrás. Andrea accionaba la caña del timón y la hizo serpentear entre otras embarcaciones y balizas hasta que tuvo el espacio suficiente para maniobrar, cambió entonces de sentido la caña, la hélice bajo el agua hizo un pequeño ruido de remolino y dando un giro casi en redondo la *Manuela* enfiló las tinieblas.

Desde su asiento, apoyada la espalda en el tambucho, Martín tenía las luces del pueblo de cara y apenas podía ver más que la silueta de Andrea desnuda, su cuerpo borroso como un sueño y la barbilla levantada para descifrar la oscuridad que se abría desde la proa hasta el horizonte. Cuando al doblar el cabo que cerraba la bahía salieron a mar abierto apareció la luna, y la visión fantasmagórica de la mujer fue adquiriendo forma hasta convertirse de nuevo en un ser tangible que tenía al alcance de la mano.

El amanecer les sorprendió en una cala cerca del Cabo de Creus donde habían fondeado hacía un poco más de un par de horas. Habrían dado la vida por un vaso de agua y a la brutalidad de la primera luz que no había logrado devolverles el sentido de la orientación y del tiempo, los dos tenían la cara desencajada, los ojos rodeados de sombras y la piel temblorosa. Tienes la piel lisa de los asiáticos y los africanos, decía ella y recorría con los dedos la barbilla, y él: ¿hasta cuándo me vas a querer?, tomándola por las palabras que había pronunciado aquella noche, ¿hasta cuándo?, para arrancarle una promesa, un compromiso, para alargar en el futuro el incipiente presente de esa noche mágica. ¿Hasta cuándo me vas a querer? Ella hizo un gesto evasivo con la mano y le lanzó una mirada que le devolvía la pregunta, como si hubiera querido decir, eso depende de ti o a ti me remito o, como llegó a pensar alguna vez, hasta donde tú estés dispuesto a soportar.

Martín volvió a la ciudad en el coche de línea del mediodía después de que hubieron tomado un café en la terraza del bar de la playa, cegados por la luz del sol que había salido aquella mañana más contundente, más mortificante, más intenso, y Andrea en contra de lo previsto le siguió por la noche del día siguiente en su coche y le llamó nada más llegar con una voz todavía sorprendida, premiosa y suplicante que no le había oído más que en la oscuridad del tambucho de la *Manuela*, donde tuvieron el resto del verano su punto de encuentro más allá de la medianoche. Para siempre el olor a salitre habría de quedar unido en su memoria al primer paso de esa relación imprevista, desordenada, que habían iniciado sin objetivo, sin camino casi, libres pero sin rumbo como voces errantes a la deriva, y que había de interrumpirse un año más tarde cuando ella planteó una ruptura de la que, tal vez para paliar esa injustificada separación, tal vez para asegurar su conclusión definitiva, tenía previstos todos los detalles.

Pero por una de esas imprevisibles trampas del tiempo, aquellos meses del inicio —como una edad de oro recuperable o por lo menos repetible— ocupaban mucho más espacio en su memoria que los años que les siguieron en que se mezclaron y confundieron las horas vacías, los proyectos dejados a medias y las desavenencias y reconciliaciones y su complicada evolución sustituidos día a día por otras que borraban las anteriores sin dejar apenas más rastro que el de ir avanzando en el inexorable camino hacia la rutina y el reproche, sin comprender tampoco cómo iban llegando a él, igual que los padres no pueden recordar el rostro de su hijo suplantado en cada instante por el nuevo, de tal modo que si una fotografía no hubiera inmovilizado en la memoria la imagen de una expresión determinada o no contaran con el recuerdo fosilizado de la narración repetida hasta la saciedad, no podrían rememorar el rostro ni el proceder del niño que contemplaron durante tantas horas.

Aquel primer año, en cambio, había quedado tan petrificado en el recuerdo que nada ni nadie había podido suplantar ni borrar ni desfigurar. Era capaz de recordar con detalles y pormenores cada una de las veces que se habían visto durante el verano, el brillo de una mañana no se confundía con el de ninguna otra de las muchas que se había sentado en el bar de la playa a esperarla —el pueblo vacío aún, las barcas inmóviles sobre el mar plateado que se despertaba bajo el pálido sol apenas desgajado del horizonte, una mujer barría frente a la puerta y regaba después rociando el suelo con la mano y el brillo perdido de alguna ventana al abrirse cruzaba como un rayo la bahía. La reconocía por su forma de andar en la lejanía cuando doblaba un recodo del muelle, un poco echadas las caderas hacia adelante, con esas camisas blancas que siempre eran las mismas y ese cabello exagerado y rizado como largas virutas de metal, mientras aspiraba el aroma de los primeros cafés de la máquina y el chorro de aire imitaba una locomotora de juguete. Y ese inmitigable deseo de volver a verla apenas había desaparecido, tan intenso y que conocía con tal precisión y esperaba con tal temor que a veces asomaba antes incluso de que ella se hubiera ido —la espalda tan expresiva o más que su rostro— apremiada por unas obligaciones a las que sin embargo parecía no otorgar ninguna importancia, quizá para tranquilizarle a él que vivía atemorizado por la existencia y la posible e imprevista llegada de un marido al que no había vuelto a ver, y afloraba con tal fuerza que acababa confundiendo la presencia con el anhelo, fundidos ambos en un artificio que apenas podía desterrar el contacto o la voz o la seguridad de saber que estaba ahí mismo.

No hay más complicidad que la de la madre con su hijo en los primeros meses y la de los amantes durante ese periodo en que no es posible dilucidar dónde comienza la piel del uno y termina la del otro, o el calor, y donde se funden los personajes y adquieren alternativamente el papel uno del otro y a veces ambos el mismo confundiéndose en la añoranza del que han dejado desasistido y sin ropaje. Todo lo demás son transacciones, pensaba Martín.

Y tal vez porque vivía sumergido en esa inexplicable trabazón no atinó a pensar hasta mucho después que la facilidad con la que lo había seducido y el sosiego con que se desenvolvía ella en esa nueva situación por fuerza habían de suponer un pasado tumultuoso que le convertía a él en el simple eslabón de una cadena en la que prefería no pensar. Porque ¿cómo estar seguro de que, protegida por una coraza de bienestar y seguridad, estaba apostando lo mismo que él?

A la hora de cenar, aquel primer domingo solos en la ciudad, no hubo lugar a preguntas. Ninguno de los dos, envueltos ambos en una misma aureola de ternura y de cansancio, podía apartar los ojos del otro ni dejar el contacto de sus manos sobre la mesa y de las rodillas bajo el mantel como si les quedara todavía un punto del cuerpo que no hubiera entrado en contacto con otro del otro cuerpo. ¿Dónde estaba la separación, se preguntaba Martín anonadado sin reparar en la fuente de gambas que al cabo de una hora, obedeciendo a un gesto de Andrea, se llevó intacta el camarero? No fue hasta más tarde, en las largas horas de espera que definirían el invierno lluvioso que siguió, cuando habría de intentar descubrir el misterio que había tras aquella mujer alegre y desenfadada, pero tan cauta, tan reservada, capaz de crear una intimidad tan profunda y al mismo tiempo tan poco dada a la confidencia, que hacía incomprensible su modo de proceder. Sin embargo en raras ocasiones se atrevió a preguntar, no sólo porque temía que ella le impusiera sin ambages la barrera que tácitamente había levantado desde el primer día, sino porque algo le decía que esos eran otros usos y costumbres, distintos de los que él conocía, donde no quedaban en absoluto delimitados la juerga, el placer, el trabajo, la fidelidad y la vida social. Había caído en un lugar donde no parecía haber diferencias entre una cosa y otra y donde no forzosamente el amor ilegítimo era vergonzante ni tenía por qué ser infidelidad. Le costaba entenderlo porque había sido educado y había vivido de otro modo, y nada estaba más lejos del hogar cerrado, ceñudo casi, que él había conocido, ni ese entresijo de relaciones en el que ella se movía tenía nada que ver con las escasas visitas que se acercaban por la casa del molino, y menos aún la de Sigüenza, donde apenas conocían a nadie. Y en los pocos meses que llevaba en la ciudad había sido testigo de comportamientos tan libres y despreocupados que de no haber ido acompañados por la sonrisa y la indiferencia habría creído que anticipaban verdaderas hecatombes.

Pero durante las primeras semanas de aquel largo verano no hubo lugar para la duda porque no había más evidencia ni más verdad que la exaltación, la turbación y la ternura de las horas robadas, el divertimiento y la risa y también el brillo de unas lágrimas en sus párpados que en cierta ocasión desveló el fulgor momentáneo del mar y sus reflejos en la oscuridad del tambucho y que emocionado sorbió como había aprendido a sorber aquella misma mañana los erizos de las rocas, pero cuyo significado ni comprendió ni se atrevió a indagar.

Cuando se ponía a pensar en aquel primer año que se había alejado sin nublarse ni fluctuar, se negaba a aceptar aún que también las pasiones intensas igual que las medrosas e indecisas están abocadas a la desintegración, aunque dejen a veces terribles secuelas, la peor de las cuales es sin duda la de negar esa ley general e inmutable, porque entonces la memoria de lo que ha significado confundida con la convicción de que por ser de tal calibre ha de perdurar eternamente, impulsa, condiciona y alienta las biografías y todos los actos que la definen en un vano intento de que prevalezca la pasión ya desintegrada y vencida frente a la nada y muestre, contra toda evidencia, su inexistente vitalidad.

Pero mucho antes de que esto ocurriera, Andrea había recibido ya la segunda de la infinita colección de cintas que habría acumulado al cabo de los años de no haberlas perdido todas como perdió aquella primera apenas un par de semanas después y como, Martín estaba convencido, había de perder también la elástica de color azul que les acababa de vender el tuerto del mercado.

Ya se había puesto otra vez las gafas con la cinta cuando resonó en el ámbito umbroso, desgarrada como un lamento, incierta como un maleficio, la carcajada del hombre que, agotado al rato por sus propias convulsiones, se tumbó de nuevo sobre las losas, se cubrió con la misma tela oscura y enmudeció de repente. Ellos salieron a la luz y amedrentados enfilaron por la pendiente que llevaba a la playa de sarga. No corría el aire y el calor se había petrificado sobre el suelo de asfalto. Ninguno de ellos habló mientras se perdían por las callejas vagamente insinuadas por las ruinas con alguna casa reconstruida, incluso con flores en las ventanas, silenciosa y cerrada como una ruina más. Habían tomado un camino y subían por unas escaleras construidas con piedras que bordeaban el acantilado, pero al llegar a lo alto se dieron cuenta de que no había salida.

—Volvamos, por aquí no se puede continuar —dijo Martín.

—Sí, allá está el mar otra vez —dijo Chiqui, que llevaba la delantera y señaló la plaza de la mezquita, desierta ahora.

A media ladera Martín se había detenido.

—Ven, Martín —dijo Andrea entonces—. ¿Qué estás mirando?

Desde la esquina de un callejón se veía una casa con una parra sobre la puerta. Dos hombres y una mujer sentados a una mesa de mármol bebían vino y en aquel momento la mujer se levantó, tomó consigo la botella vacía y entró en la casa. Apenas pudieron verle más que la larga cola de caballo cuando la puerta se cerró tras ella. Martín volvió la cabeza hacia el frente, Andrea le estaba mirando a él.

—¿Qué estabas mirando? —insistió.

Martín, sin responder, agarró la mano de Andrea y ascendió de nuevo por el camino, torció decidido a la derecha, luego a la izquierda y fue metiéndose por calles intrincadas, silenciosas y destruidas.

—¿A dónde vamos? —interrumpió Chiqui—. ¿Por qué no volvemos?

—Sigamos, por ahí —dijo Martín tirando de la mano de Andrea.

—No quiero seguir —dijo ella y fue a reunirse con Chiqui que se había detenido y estaba sentada en un poyo—, hace demasiado calor.

—Id si queréis —y le soltó la mano.

Ella le miró con suspicacia.

—¿Qué dices? —y se sentó a su vez.

—Que volváis al barco. Yo iré luego.

—¿Pero dónde vas a ir?

—A dar un paseo.

—Iré contigo —dijo entonces. Había determinación en su voz y a punto estuvo de levantarse pero se dejó llevar del enojo que produce ese sentimiento de exclusión que nace con el indicio y no se movió.

—Ven pues —dijo él sin mirarla.

Pero lo dijo por decir, porque lo único que quería en este momento era que le dejaran solo para deshacer el camino e ir en busca de la muchacha del sombrero que había visto desde el *Albatros*. Aunque entonces se había deshecho en la distancia cegada por el sol y no había podido ajustarla a la oculta imagen de su recuerdo bien podía ser la misma que la del patio de la parra. No era la cola de caballo sino algo más perenne, el aire, el gesto, la forma de apoyarse sólo por los hombros, tal vez con el resto del cuerpo separado de la pared, lo que le había sumergido otra vez en aquella historia que había dejado inconclusa. Quizá no hay historias inconclusas, se dijo, de un modo u otro debieron de cerrarse sin que nos diéramos cuenta. Pero ahora, saltando el tiempo de silencio, de olvido, un tiempo intermitente que sólo existe con la reminiscencia, se levantaba precisa y cierta como entonces dejando el otro tiempo, el real, el que le había acompañado hasta ahora, desteñido y lejano y ya no le fuera permitido asirse a él, ni atender a los cantos que desde allí lo llamaban, como si no reconociera la voz de Andrea y nada significara lo que le estaba diciendo.

Entonces apareció la vieja. Debía de haberles seguido durante un trecho y al detenerse les había adelantado y comenzaba a subir la cuesta. No parecía importarle el calor. Caminaba vacilando sobre las piedras pero su cuerpo enjuto mantenía una estabilidad precaria al ritmo de sus saltos deslavazados que sin embargo ejecutaba con primor y sin miedo, y se acompañaba con una cantinela monótona, como si recitara una retahíla de encargos que no quisiera olvidar, acoplada a su propio y deteriorado compás.

—Yo no quiero continuar, me voy —dijo Chiqui, se levantó e inició el descenso.

—Sigamos a la mujer —dijo Martín—, veamos a dónde va.

—Qué más da donde vaya, yo me voy, estoy agotada —dijo Chiqui.

Andrea se levantó también y la alcanzó, y Martín, que a pesar de todo había decidido seguirlas, cuando oyó el tono de conminación solapada de su voz que tan bien conocía en el que había advertido ya el matiz de menosprecio —déjalo, ya vendrá— pronunciado deliberadamente en voz más alta para que él lo oyera, dio la vuelta y se dirigió hacia el camino que ascendía por el promontorio y acoplándose al paso de la mujer la siguió en la distancia para no delatarse.

IV

El camino ascendía abruptamente y la calzada se deshacía en piedras descarnadas y reguerones que la escasez de lluvias y la ausencia de caminantes había dejado seca y dura como el firme del muelle. Había en el aire un denso y dulzón olor a madreselva. No corría un soplo de brisa.

La mujer ronroneaba al avanzar sin acusar el calor que pesaba como plomo. Martín se detuvo un momento a tomar aliento y distancia con la vieja, porque se había desorientado otra vez. A sus pies la bahía estaba sumida en la penumbra y en el puerto apenas había más claridad que el breve arco de vacilantes farolas en esa bruma de calor sobre el asfalto y el mar. La tenue luz en lo alto del mástil acusaba contra el perfil borroso del pueblo el leve estremecimiento de las ondas lentas y todavía lejanas de dos barcas de pesca que se acercaban trepidando. Del otro lado de la bahía la elemental central eléctrica lanzaba su estribillo metálico y perezoso y en algún lugar cercano ladró un perro sobre el canto de la mujer que se alejaba cuesta arriba. Cualquier movimiento se convierte en un signo o una señal cuando se acerca un cambio, pensó, y dejó de mirar la bahía y la siguió y le pareció que se adentraban en el pueblo por su parte más alta aunque volvió ella a descender por caminos y calles medio destruidas aún y a ascender de nuevo como se camina por un laberinto conocido dando rodeos a veces, o yendo en una dirección que contradice la anterior con la misma seguridad que si la guiara un objetivo que sólo ella era capaz de reconocer, sin dejar de canturrear y sin cambiar el ritmo ni detenerse ni aminorar la marcha ni sofocarse. Habían llegado a un camino entre muros, restos de casas quizá, no destruidas ni reconstruido el deterioro del tiempo, supervivientes de todas las catástrofes, que cedían a ambos lados como si antes de caer hubieran decidido encontrarse en algún lugar del infinito. Había oscurecido y la franja de cielo tenía ahora un tono marino. El callejón se hizo más estrecho aún y torció la mujer en un recodo y él tras ella sin saber ni preguntarse por qué la seguía y sin poder ni querer detenerse, cuando tras sus pasos —tan cerca estaba que de haber atendido a algo más que a su propia cantinela y al impulso que la guiaba habría reparado en él aunque no fuera más que por las pisadas o por la piedra que se desprendía de tanto en tanto bajo sus pies y rodaba camino abajo dando tumbos descontrolados pero firmes, como sus propios pasos resonaban en la angostura de la calle incrementados por la incandescencia de los muros o quizá por el silencio tan denso que ya no perforaba el ronquido de las barcas ni el estribillo de la central— le sobresaltó un ladrido casi a la altura de los hombros. Un perro le miraba con ferocidad, a él, no a la vieja que pasó por su lado sin verle antes de entrar en un diminuto huerto por una puerta de tela metálica que chirrió sobre los ladridos. No había salida por ese lado y cuando el perro saltó cerrándole el paso por la espalda, Martín agarró una piedra del suelo y se la tiró con tal fuerza al hocico que el animal vaciló y quedó inmóvil. Pero sólo el instante que precisaba para recobrar fuerzas y atacar. Se encogió sobre las patas traseras, tomó impulso y como si le hubiera catapultado una ballesta describió un arco que había de acabar en él. Aún pudo verle los ojos inyectados en sangre y las fauces abiertas y apenas si le alcanzó a cubrirse la cara con el brazo cuando, paralizado de espanto, y aturdido por el golpe del animal, tropezó y fue a dar al suelo. El perro sin darle tregua ni dejar de ladrar embistió de nuevo y aunque Martín pateaba y se defendía, en un momento le hubo cerrado la boca sobre la pantorrilla y la sacudía con tal obstinación que no lograba apartarlo de ella. Entonces, cegado por el dolor y el pánico agarró del suelo otra piedra y con una furia mucho más intensa de lo que le permitía el dolor, el miedo y la posición en que se encontraba, le golpeó la cabeza con tan feroz insistencia que el animal aturdido distendió las fauces, permaneció un minuto inmóvil con los ijares temblando y los ojos en llamas y reanudó los ladridos más enfurecido aún, dispuesto a echársele encima otra vez. Pero antes de que iniciara la embestida Martín alcanzó un pedrusco afilado como un estilete, se incorporó para acercarse más y con la fuerza del terror lo clavó sin mirar a dónde en el mismo momento que el perro se lanzaba contra él. Tocado por segunda vez en el hocico, el animal se tambaleó y cayó gimiendo al suelo. La retirada estaba libre, pero en lugar de salir huyendo como había deseado un minuto antes, se levantó, se encaramó a un muro entre dos ruinas o casas deshabitadas, qué importaba ahora, donde aun sin estar herido el perro nunca le habría alcanzado e impulsado por la inercia del terror primero, como la persona que ha comido con tal apremio que no le ha dado tiempo al hambre a disiparse, arrancó las piedras saledizas sin reparar en que él mismo se hería las manos y las lanzó impenitente y con saña una tras otra contra el animal, arrastrado por una violencia que por desconocida ni atinó a controlar, hasta que el perro, echado en el suelo, ciego por la sangre que le cubría los ojos y sin ánimo para ladrar ya, recibió la carga de proyectiles sin defenderse, ni apartarse, ni siquiera saber de dónde procedían, y habiendo quizá olvidado por el dolor cómo había comenzado todo aquello, apoyó la cabeza contra el suelo y dejó de gemir. No fue su silencio ni la convicción de que ya no podía atacarle sino el temblor de sus brazos y del cuerpo entero accionado por los latidos de cansancio y excitación de su propio corazón lo que le hizo detenerse. Saltó del muro y comenzó a caminar, más por huir de la oscuridad viscosa y húmeda como si en ella fuera a dejar esa parte de sí mismo que acababa de manifestarse que por encontrar un lugar con un poco más de luz y comprobar la herida de la pierna. Y al detenerse en lo alto de la pendiente obligado por el dolor, se volvió aún a contemplar el perro que emitía de vez en cuando un aullido desmayado, casi un balido, en la nube de polvo que flotaba en la penumbra y hacía esfuerzos por levantar la cabeza en un vano intento de recobrar el aliento, o tal vez sólo con el propósito de demostrar cada vez más a ciegas que, incluso moribundo como estaba, había logrado desalojar al intruso de sus dominios.

Tenía la camisa empapada y los cabellos se le habían pegado a los ojos. Los apartó con la mano llena aún de tierra y vio entonces a la vieja, que salía de la huerta arrastrando por el suelo los harapos con la misma deteriorada e indiferente majestad y cantaba al mismo compás su insistente melodía. Y como si no hubiera hecho más que entrar por una puerta y salir por otra después de un rodeo inútil por el interior del huerto, pisó las piedras ensangrentadas y pasó junto al perro postrado sin mirarle, sin verle quizá, ni advertir la presencia del hombre sudoroso

98

y desencajado que la contemplaba. Ni parecía haber reparado tampoco en el crepúsculo que había dejado la calle con una luz tenue, somera, opaca donde no había más brillo que aquellos ojos de agonía en un último e inútil esfuerzo por mantenerse abiertos. Ascendió por el camino arrimada al muro deshecho, y cada vez más confundida con la penumbra torció por un atajo y se deshizo como una sombra más.

Cuando hubo desaparecido se presionó las sienes y cerró los ojos. Después se puso a caminar en busca de luz. Le dolía la herida y cojeaba pero no se detuvo hasta llegar al final de la cuesta bajo una escueta y macilenta farola colgada del alero de una casona en ruinas. No se oía más que el chirrido de los grillos en el calor de la noche. No se veía a nadie, la calle estaba desierta y el muelle quedaba lejos aún. La herida sangraba aunque parecía haberse secado en parte, la limpió con el pañuelo que sacó del bolsillo y lo dobló en diagonal para vendar la pierna y restañar la herida. Luego desenrolló la vuelta de los pantalones y una vez oculto el vendaje se quitó las manchas de sangre de las manos con hierba seca. A la luz del mechero se dedicó concienzudamente a buscar otros rastros: sólo encontró un par de gotas en el pantalón, que frotó con tierra para cambiarles el color, y al restregar la suela de los zapatos contra las piedras se levantó un polvo seco que le hizo toser. La angustia había cedido y también la excitación, y se disponía a ponerse en camino otra vez presionado por una urgencia inmitigable de alejarse del lugar, cuando en lo alto de la loma una figura recortada en el firmamento, vagamente manifiesta sobre la oscuridad que le envolvía, estalló en una secuencia de carcajadas cuyo eco diáfano no obstante las superponía encadenándolas y multiplicándolas hasta retumbar contra los muros y perderse temblando por las calles sembradas de pedruscos. Saltó un lagarto asustado o una piedra se desprendió por el estruendo y graznó indignada un ave oculta en un matorral invisible, y el hombre sacudido por la violencia de su risa espasmódica echó hacia atrás la cabeza. Sólo entonces lo reconoció por el brillo ciego de su ojo de cristal.

No fue sólo el eco de aquellas carcajadas quebradas y virulentas sino tal vez el miedo o la vergüenza lo que le hizo huir de esa imagen acusadora; bajó a trompicones por un camino que estaba seguro de no haber visto antes, guiado por el olor a salitre, más denso aún por el bochorno que con la caída de la noche había llenado la bahía. Cuando salió al muelle la cantinela de la mujer, los ladridos del perro y las risotadas del hombre se sucedían aún a su espalda. Se volvió pero sólo oyó el tañido sin cadencia de una campana perdida.

Aunque esa parte del muelle estaba a oscuras, en el café del puerto, cerca de donde habían amarrado el *Albatros*, se habían encendido algunas luces y por un instante olvidó los esperpentos que acababa de dejar. Siguió caminando sin excesivo dolor, sofocado todavía aunque se daba cuenta de que el corazón recobraba muy lentamente su ritmo habitual porque en algún lugar de su conciencia seguían retumbando las carcajadas del tuerto. Y en la tortura y la confusión de voces y ruidos cuyo origen no podía descifrar se repetía una y otra vez para convencerse: ¡Sólo he matado a un perro! ¡No he hecho más que matar a un perro! ¿Qué me ocurre? El mundo no ha avanzado moralmente desde la edad de las cavernas ¿quién puede negarlo?, ¿no viven tranquilos los poderosos y sin embargo lanzan impunemente a la muerte a decenas de miles de personas a veces sólo por vender más unidades de un producto inútil, o los que en nombre de la libertad o la moral, torturan, matan y destruyen? Y ellos en cambio no conocen la angustia, ¿no les vemos acaso todos los días, fatuos y satisfechos de sí mismos, recibiendo honores y repartiendo prebendas, sin el más leve asomo de remordimiento ni compasión?, ¿por qué habría de tenerlos yo?, ¿por qué yo? Echó a correr tambaleándose como la vieja que quién sabe dónde estaría ahora, perseguido aún por esa risa que se iba incorporando al tañido dislocado de la campana que incrementado y alimentado por sí mismo atronaba la bóveda de los cielos, decididamente negra ya y tachonada de estrellas y constelaciones cuya impasibilidad y permanencia no alcanzaron a postergar el oculto escenario de su ruindad. Se detuvo al llegar al antiguo mercado y se agachó para buscar el hilo de agua del caño. Se limpió las manos y la cara y bebió con fruición atragantándose y en tal cantidad que el estómago lleno de aire comenzó a revolverse y gemir. A los diez minutos se peinó con la mano y examinó escrupulosamente los pantalones, la camisa y su aspecto en una puerta cristalera sin visillo. Apenas podía verse pero esa sombra de sí mismo le tranquilizó. Luego se sentó en un mojón e intentó recobrar el aliento y la calma. Desde donde estaba, en la oscuridad, podía ver todo cuanto ocurría a pocos metros, en la plazoleta, con la seguridad de que nadie le descubriría. En una de las mesas, Leonardus, Andrea y Chiqui comían patatas cocidas, pimientos asados y bebían cerveza. Se les había unido Giorgios, el dueño del local, todavía con el mandil puesto y Pepone, el barquero, que liaba su cigarrillo sin dejar de hablar. Leonardus parecía repuesto del calor, llevaba una chilaba limpia y debía de haber tomado una ducha porque tenía todavía el pelo mojado. Fumaba sin parar y resonaban en la noche sus risotadas. Se habían encendido algunas lámparas y en la mesa de al lado cuatro o cinco pescadores vociferaban, tal vez ebrios ya. Alguien había puesto en marcha en un cascado aparato de música una canción cuya melodía sonaba agrietada y apenas reconocible. Leonardus hizo un gesto impaciente a Giorgios y casi coincidiendo con él cesó la música, mandolina, guitarra, quién podía saberlo. Y en el silencio brotaron otra vez precisos los golpes de las fichas de hueso sobre la mesa de mármol y delimitadas las voces y el ruido de las sillas. Chiqui vestía unos pantalones tan rojos y tan apretados que estaba congestionada por el calor o quizá fuera la vehemencia con que repetía su afirmación: —Todos los hombres engañan a sus mujeres, todos.

—¿Y tú cómo lo sabes? —preguntó Leonardus riendo.

—Porque las engañan conmigo —respondió y dirigió el gesto y la mirada a su izquierda.

—¿Todos? —preguntó Andrea con sorna.

—Los suficientes —y había en su voz más que descaro, desafío.

Martín dejó de escuchar. No quería ver la cara de Andrea, la conocía bien, cuando Chiqui le dedicaba sus discursos —no te pongas filosófica, le decía Leonardus, tú no estás hecha para la reflexión, y le daba esas palmadas en el muslo que tanto la molestaban. Andrea se quedaba callada y un tanto inquieta y Chiqui la miraba de soslayo con tal seguridad que era difícil no percibir en el gesto la indiferente satisfacción de la victoria. Siempre ocurría así, sobre todo desde la escena de los delfines que se había producido hacía cuatro o cinco días: serían las seis de la tarde cuando después de un prolongado baño entre dos islas, navegaban al atardecer con el motor al ralentí. Tom, que seguía amarrado a la rueda del timón, gritó de repente: ¡Delfines! ¡Delfines! Salieron él y Leonardus de la cabina donde se habían refugiado del sol de poniente esperando la hora del whisky; Chiqui asomó con la cabeza a medio lavar por la puerta del cuarto de baño y en cuanto comprendió de lo que se trataba subió corriendo a cubierta donde ya Andrea contemplaba cómo los delfines se retorcían y retozaban contra la roda para esconderse después y nadar bajo el agua a la misma velocidad del barco, y cómo se zambullían de nuevo dando saltos, siguiendo su ritmo. De vez en cuando uno de ellos se alejaba y parecía huir pero volvía otra vez al mismo punto. Al rato se fueron todos, cansados probablemente del juego, y los vieron nadar aún en la distancia atentos al *Albatros*. Entonces Chiqui se situó en el punto más alto de la proa y con los dos dedos de cada mano presionando la lengua contra el paladar, primero con suavidad, luego con más fuerza, emitió un silbido agudo y prolongado que repitió varias veces. Como si hubiera comprendido la llamada uno de los delfines volvió y se arrimó de nuevo a la amura de estribor. Siguió silbando con insistencia y luego se detuvo y esperó, convencida de que los delfines la habían comprendido y habían de volver. Y efectivamente llegaron uno tras otro y se revolcaron en las olas que abría la proa y se volvieron a marchar respondiendo al juego. Chiqui se había bañado durante horas por la mañana y después de comer, y no había hecho más que tomar el sol desde que había comenzado el viaje, y como había salido del baño precipitadamente se había recogido el pelo en una toalla en forma de turbante monumental, sólo vestía la pieza inferior del bikini, chorreaba aún del agua de la ducha, le brillaban los ojos, y así de pie, casi de puntillas —altísima y con los dedos en la boca para arrancarle el potente silbido— parecía un mascarón vivo, un domador mítico al que obedecían los seres del mar. Y no sólo reinaba sobre los delfines sino sobre los cuatro que asistían fascinados al espectáculo del juego inocente y soberano que ella misma había inventado bajo la bóveda del cielo sin límites a esa hora del atardecer que arrastraba semanas enteras de bonanza. Andrea debió verla tan viva y potente, tan lúdica en su apasionamiento y entusiasmo y tan eficaz en el juego, que no pudo resistirlo: se agarró a los obenques para no caer y se precipitó a popa tropezando con tensores, escotas y guías, bajó las escalerillas, se metió en su camarote y se echó sobre la cama sin ni siquiera cerrar la puerta para esconder los sollozos. De celos, de envidia tal vez, o de pena por la muchacha que fue, que había sido, la que arrastraba despreocupadamente su triunfo y exhibía la convicción de que el mundo la adoraba y los dioses le habían concedido todos los dones de la tierra.

En la asfixia del aire las voces distintas habían perdido su significado. Le bullía la cabeza y le dolía la pierna. Con la mano todavía mojada intentó secarse el sudor. La noche era húmeda, pegajosa.

Por lo menos debe de haber cuarenta grados, pensó.

Apoyó la cabeza en la pared y cerró los ojos. Desde esa zona oscura y resguardada en la que se había refugiado se dispuso a esperar que se le secara el sudor y desaparecieran los rastros de lucha y de cansancio para reunirse con ellos, que ahora le parecían desconocidos, lejanos y vagos personajes de una historia que, de nuevo, apenas tenía que ver con la suya, cuyo reclamo sin embargo no le dejaba en paz desde que había llegado a esta isla. En el cielo, invisibles y altos aún, iniciaron su graznido monocorde y uniforme los buitres. Estoy delirando, pensó, los buitres no vuelan de noche, aunque todo parece posible en esa isla maldita. De pronto la idea de quedarse en ella un día más, de volver al reducto de los suyos, se le hizo tan insoportable que a la angustia se añadió el desconcierto porque no había lugar a donde ir que no fuera el que ellos ocupaban. El mismo ahogo, la misma abrumadora conciencia de que el recorrido estaba ya trazado que vislumbró aquel día, recién llegados de Nueva York, en que pisó por primera vez la espléndida casa de la ciudad donde habrían de vivir, donde de hecho habían vivido desde entonces, siete años ya, y donde todo parecía indicar que efectivamente seguirían viviendo. La vio tan definitiva, tan distinta a la retahíla de pensiones, habitaciones o apartamentos amueblados que había conocido desde que salió de su casa en Sigüenza apenas cumplidos los diecisiete años, que la imagen de su propio ataúd saliendo por la puerta de ese inmenso recibidor aún vacío apareció ante sus ojos todavía brillantes de excitación y asombro a la vista de tanta magnificencia. De esa casa sólo saldré cadáver, se dijo entonces atónito ante la certeza de una súbita e incontestable premonición. Porque miraba al frente y sabía exactamente lo que iba a ocurrir. Nada había de alterar ese camino al que de una forma u otra se había visto arrastrado, nada haría desviar el raíl que él mismo no había sabido eludir. Su vida de todos los días, igual a sí misma, no sólo en esa minúscula parcela de su existencia, sino respecto del ancho e inmenso mundo que nunca habría de conocer y de los universos a los que se llega por otros derroteros. Visión fugaz pero lacerante que se desvaneció con los pasos de Leonardus y el taconeo de Andrea sobre el parquet y su eco en las habitaciones vacías colmadas del sol de la tarde primaveral de la ciudad y con el clamor de diapasón de sus palabras, que amueblaban y disponían y se reproducían de pared en cristalera hasta perderse en la terraza atiborrada de grandes maceteros con plantas y árboles secos que habrían de reverdecer y crecer y dar sombra durante años a una vida que, por una curiosa combinación de hechos, les haría contemplar desde lejos la ciudad que ella había dejado hacía apenas dos años, y a la que él no había tenido jamás la intención de volver. En realidad nunca supo a cambio de qué recibió Andrea ese piso, pero sí se dio cuenta de que con la aceptación se daba por concluida una relación familiar con tal cúmulo de secretos y tensiones que su explicación y sus decisiones y las consecuencias que les siguieron se le habían escapado, quizá porque casaban tan mal con la primera versión que le había dado el día que llegó a Nueva York para quedarse con él. Le había dicho entonces no sólo que había sido sincera con el rubio y civilizado marido que tanto la amaba, sino con la familia entera que había aceptado con dolor pero con comprensión una decisión dictada por esa pasión tan perentoria que no atendía ni a la renuncia de los hijos ni a la de su rango privilegiado de princesa adorada y consentida, colmada de todos los ajuares y prebendas. Y el prestigio del que gozaba en la profesión parecía ratificar ese rango, por velada que fuera la sorna con que Federico insistía en que la libertad de que gozaba Andrea le venía de la mayoría de acciones que su marido poseía en el semanario donde ella trabajaba. Y quizá fuera cierto, porque durante el primer invierno había entrado y salido cuando y como le convenía, a media mañana o por la tarde, aunque siempre le llamaba con una urgencia que atribuía a su escaso tiempo. Entonces salía él a la puerta de la productora o de su casa en la Plaza de Tetuán, y a los pocos minutos aparecía ella al volante de su coche.

Conocieron todos los meublés de la ciudad, hoteles de día y de noche, sin luces, carteles, ni leyendas, cuyas fachadas de balcones cerrados o ciegos, deterioradas a veces, escondían un panal de habitaciones y pasillos silenciosos y lámparas de lágrimas que tintineaban a su paso. Los recorrían cogidos de la mano, haciendo muecas Andrea o imitando los andares del camarero que los precedía con la mirada baja, voces en sordina, timbres apagados en algún rincón del caserón cerrado que indicaba a la recepción el deseo de salir de otra pareja. Eran habitaciones amplias y cómodas, con un aspecto de lujo venido a menos, de morada de viejas damas, de antigualla exquisita y depauperada que daba al entorno la magia de un reducto secreto y olvidado. Una institución que dejó a Martín sin aliento la primera vez que se vieron en la ciudad después del verano y de los largos fines de semana de septiembre, cuando después de haberse besado como adolescentes detrás de una puerta en su oficina, Andrea lo tomó de la mano, cogió el bolso y bajó las escaleras arrastrándole hasta el garaje y sin más explicación que una sonrisa de connivencia le hizo subir al coche y atravesaron la ciudad a toda velocidad sin obedecer los semáforos ni los desaforados silbidos de los urbanos al Minimorris rojo que se escurría entre el tráfico. Y al llegar a lo alto de una cuesta se metió en la boca oscura de un edificio, el coche se deslizó por una rampa profunda, siguió a marcha lenta por un pasillo casi a oscuras y se detuvo ante una puerta escondida entre cortinas. Al momento apareció un camarero con la mirada en el infinito que no pudo evitar un leve sobresalto al darse cuenta de que abría la portezuela a un caballero. Andrea dejó las llaves en el contacto sin apagar el motor y salió del coche, y riendo como si estuviera haciendo una travesura, se colgó de su brazo y entró con él tras el camarero.

Aquel día no volvió a la redacción y hacia las ocho saltó de la cama y desde el teléfono de la pared llamó a casa para decir que llegaría tarde y no la esperaran a cenar.

Cuando se tumbó de nuevo a su lado, Martín cogió uno de sus rizos negros y se entretuvo en enrollarlo en el dedo, y con la mirada abstraída en lo que hacía le preguntó:

—¿Y tu marido? ¿Qué le vas a decir a tu marido?

Ni el uno ni el otro lo habían mencionado abiertamente en todo el verano y ella no parecía relacionar la deslealtad con las noches secretas y prolongadas que habían pasado en la *Manuela*, unas citas que ni siquiera interrumpieron cuando volvió Carlos de la Argentina a mediados de septiembre, aunque, como si su regreso hubiera impuesto un toque de queda a la fantasía, ella se apresuró desde entonces a volver a casa antes de que amaneciera. Y aunque a mediados de septiembre las noches comenzaban a ser más largas, ya no les daba tiempo a salir a cubierta para contemplar el fulgor de la luna sobre el mar, ni descifrar los caminos misteriosos de las estrellas, ni ver clarear, ni se durmieron más al primer calor del sol como cuando eran dueños de un tiempo que les pertenecía hasta por lo menos las nueve de la mañana. Martín se maravillaba de la poca importancia que Andrea concedía a lo que su madre, en Sigüenza, habría llamado los respetos humanos, y de cuán poco se preocupaba de esconder sus pasos, hasta el punto de que, ya casi desvanecido el verano, en un momento de duda y soledad llegó a vislumbrar la posibilidad de que cuando volvían a tierra y él se iba a la pensión, ella corría a casa y le contaba al marido lo que había ocurrido entre los dos, igual que le había hablado a él de sus proyectos hacía media hora, apoyada la cabeza en sus rodillas, la *Manuela* a la deriva y el motor parado —nunca hagas esto si algún día tienes una barca, decía, si me vieran los pescadores perdería el poco prestigio que tengo ante ellos. Algunas noches de mar rizada, Martín, sentado en la bañera, acusaba el incontrolado balanceo de la falta de gobierno y sentía un peso en la boca del estómago que por nada del mundo se habría atrevido a confesar, que intentaba paliar mirando un punto fijo como le habían enseñado cuando era niño y se mareaba en el coche de línea camino del molino de Ures. Luego, cuando ella se levantaba para poner el motor en marcha escondía también el indefinible e intenso terror a que no arrancara como había ocurrido otras veces, aunque nunca de noche, sin poder descubrir si lo que temía era que quedara al descubierto su secreto o andar a la deriva en ese cascarón a merced del mar\y de las entradas de viento del norte, o peor aún, decían, del de levante, de las que tanto había oído hablar y aún no había conocido. Pero ella, que sabía leer en su rostro, se sentaba en sus rodillas y le decía al oído como si se tratara de una importante revelación: —No sufras, el mar está en calma y no va a entrar el viento. Y si el motor no arranca la corriente nos llevará a la costa, o algún pescador nos recogerá cuando salga al amanecer. Pero arranca —y se levantaba y apretaba el botón—, ¿ves? —y las explosiones colmaban el silencio y tranquilizaban su mente y su estómago cruzado de vahídos. Andrea triunfante se ponía al timón y enfilaban con parsimonia la bahía dormida aún.

Incluso cuando, quizá por mostrar que nada tenía que ocultar a su marido, invitó a Martín a pasar el último fin de semana del verano en aquella casa que no había pisado desde que fuera con Federico a mediados de julio, la misma noche, al salir de una fiesta, se zafó del resto de la gente, le tomó de la mano como la primera vez y fueron a nado a la *Manuela*. Martín interpretó tal audacia como un alarde de su amor por el riesgo, de la necesidad de llevar los acontecimientos a su punto límite como el funambulista sólo se siente seguro sobre el precipicio. Quizá Carlos, que la conocía bien, debía de saber que la fidelidad esencial era la que le dedicaba a él. Quizá ninguno de los dos traspasaba los límites de lo que tácitamente se habían permitido. Pero dónde estaban esos límites Martín no pudo saberlo jamás. Porque al día siguiente a la hora de cenar no mostraba el menor asomo de violencia ni de tensión, cuando era evidente que de los tres, por lo menos uno y en alguna medida dos, eran los engañados. Por eso, la segunda noche, no queriendo prolongar más una situación en la que no sabía qué papel estaba jugando, se retiró pronto y desde su habitación en el piso superior les vio juntos leyendo la prensa en la terraza que daba sobre el mar en una escena de placidez perfecta que parecía escrita para mostrar en un guión la indisolubilidad de dos cómplices amantes y seguro de que ellos a su vez le habían visto asomado tímidamente a la ventana, se preguntaba con amargura cuál de los dos se la estaba dedicando.

Porque desde el principio Andrea —como hacen los hombres cuando conquistan una mujer para acallar los remordimientos de su infidelidad, según había dicho Chiqui días antes en el barco, o para que comprenda que no puede aspirar a más, había añadido Leonardus— le había dado a entender que a su modo amaba a su marido, quizá por marcar el tono de su relación y dejar claro hasta dónde estaba dispuesta a llegar. Y nunca rectificó su posición. Jamás, ni en los momentos de mayor intimidad dejó escapar una confidencia que le mencionara, un resquicio por el que él pudiera comprender la naturaleza de esa unión que parecía indestructible y que en cualquier caso no parecía dispuesta a poner a prueba. Pero ¿no era acaso ponerla a prueba estar con él? Cuántas veces, mientras el sol del mediodía entraba por las persianas entornadas del meublé, en lugar de vestirse porque el tiempo había terminado, parecía tener una inspiración, descolgaba el teléfono y llamaba al periódico para avisar que el almuerzo terminaría más tarde de lo previsto y no llegaría a la redacción hasta las seis. Y volvía a la cama contenta como una niña que hace novillos porque había arañado un par de horas al trabajo. Tenía tal inventiva e imaginación para el engaño que se preguntaba a veces, en los momentos de mayor soledad, si no le estaría engañando a él también en una telaraña de argucias y falsedades encadenadas que quién sabe si siquiera ella misma sabía dónde estaba la verdad. Pero cuando se trataba de su marido no titubeaba. Sabía exactamente a la hora que debía partir y no se demoraba un instante más, fueran cuales fueran los pretextos que él inventara, como si esa zona de su vida fuera un jardín escondido que quería preservar y al que sólo ella tuviera acceso.

Martín entonces se quedaba mucho más solo, sin compañía ni casi esperanza. Así transcurrían todos los viernes, sábados y domingos y todos los periodos de vacaciones. Y cuando un día del mes de febrero, después de un fin de semana que se había convertido en un viaje de varios días sin previo aviso, la vio aparecer finalmente a las siete de la tarde en el bar del Hotel Colón, y convencido de que no le sería posible resistir otra prueba como la que acababa de pasar le propuso en un arrebato de pura inconsciencia no un fin de semana con él sino toda la vida, fue la única vez que ella se refirió a su marido acercándose al fondo de la cuestión con una gravedad que dio por terminada la conversación: —No puedo. Eso no puedo hacerlo. No le amo más que a ti pero esto no puedo hacerlo.

—¿Qué le vas a decir a tu marido? —repitió al ver que ella no le respondía, consciente de que se internaba en terreno vedado pero con la voluntad de hacerlo, ahora precisamente que con el fin del verano parecían entrar en una nueva etapa más perenne, más definitiva que, sin embargo, por la insistencia de Andrea en no hablar más que del presente no atinaba a saber aún a dónde les iba a llevar.

Ella se volvió, se acercó cuanto pudo hasta quedarse pegada a él y con la mano que le quedaba libre le puso el índice en la boca y susurró: —Pssssst pssst. —Luego se levantó de un salto y comenzó a recoger sus ropas, se fue al cuarto de baño y mientras esperaba a que saliera el agua caliente asomó la cabeza y riendo, siempre riendo, dijo:

—Vámonos por ahí a cenar —y al ver cómo él se incorporaba, o quizás al adivinar por la sorpresa del gesto la pregunta que iba a hacer, saltó sobre la cama, se quedó en cuclillas frente a él, volvió a ponerle el dedo en los labios y repitió el mismo sonido conminándole al silencio—: psssst, psssst.

Cuando aquella noche después de la cena, vencidos de sueño y de cansancio, Andrea le dejó en la puerta de casa, él dio la vuelta al coche y se puso en cuclillas frente a la ventanilla donde ella seguía con las manos inmóviles sobre el volante: —No quiero dejarte —susurró, besándole la nariz y los ojos—, no sólo quiero hacer el amor contigo, quiero desayunar, comer, pasear, sin miedo, quiero decidir qué vamos a hacer, qué será de nosotros, quiero saber qué es lo que quieres tú —pero ella le miraba y sonreía, y él no entendía si le estaba pidiendo que tuviera paciencia o si se abstraía melancólicamente en proyectos que también a ella estaban vedados. —Déjame por lo menos que te acompañe a casa, yo puedo volver caminando.

—No —respondió Andrea cerrando los ojos y dejándose besar—, no tiene sentido. Cuando hayas aprendido a conducir, cuando tengas un coche, cuando seas rico y famoso.

—¿Famoso yo? —Martín se puso en pie—. ¿Qué es lo que te hace suponer que quiero ser rico y famoso?

—Todos lo queremos —respondió ella, y después de un momento—: Buenas noches —dijo y puso en marcha el motor. Y antes de arrancar, recuperado a pesar del cansancio el aire desenvuelto que utilizaba para hablar en público, añadió—: Te veré mañana en la galería del Paseo de Gracia, corazón, iré un poco tarde pero no te vayas hasta que yo llegue.

Martín permaneció de pie en la calzada recién regada que el calor casi estival de octubre había revestido de vaho a la luz vacilante de las farolas. Tenía en las manos todavía el olor a su piel y a su pelo, y mezclado con el sabor incierto de esa absurda palabra había irrumpido en su mente la conjetura de un desencanto aunque en su alma persistía la tristeza por la separación repentina, como si todo aquello no hubiera sido, como si él mismo hubiera inventado la historia más hermosa. Y con un escalofrío de destemplanza y soledad abrió el portal de rejas de hierro y cristal que se cerró con estruendo tras de sí dejando la noche temblorosa.

Al día siguiente en la galería apareció Andrea con su marido y tres amigos. No era excesivamente alta ni particularmente hermosa pero, decían, llenaba un local con su presencia. Y era cierto, al verla tan segura de sí misma, tan radiante, intuyó que esa gracia tal vez se originara en su capacidad de recrearse y estar atenta de una forma especial a la relación que tenía con cada uno, y distinta siempre de la que tenía con los demás, esa forma de crear un mundo tan denso y compacto que multiplicaba por sí misma el placer y la complicidad: en esa certeza radicaba su seducción y su soltura.

Aquel invierno se le fue esperando. Había conseguido quedarse en Barcelona otro año como segundo cámara de la serie documental sobre la ciudad para la televisión italiana que Federico quería poner en marcha cuanto antes, pero los permisos tardaban en llegar y el equipo perdía las horas esperando. Martín también esperaba: esperaba la orden del productor para ponerse al trabajo pero sobre todo esperaba la llamada de Andrea. Por la noche, hacia las once, se sentaba a una mesa de Boccaccio cuando el local aún estaba vacío y, con una copa en la mano, esperaba a que llegara. A veces estaba sobre aviso, otras confiaba en el azar. Ella aparecía mucho después de la medianoche siempre rodeada de un grupo de amigos y una vez se había instalado en su mesa a él no le quedaba más que seguir esperando a que volviera la cabeza en la dirección donde se encontraba él porque, contrariamente a lo que había ocurrido en el verano, ahora se veían siempre a escondidas fingiendo en público una distante y fortuita relación.

Otras veces la veía entrar en el local buscando en el bolso sus gafas de grandes aros negros. Sabía entonces que aún no lo había descubierto. A veces el marido estaba con ella. Otras veces no. Se acercaba entonces con el pretexto de saludarle o le hacía una señal y se encontraban en la calle, lejos de los amigos.

Martín sabía que nunca formaría parte de esas gentes porque tenía un ritmo más lento que aquella vorágine nocturna de entradas y salidas, y de haberles querido seguir habría ido siempre rezagado. Poco a poco fue conociéndolos a todos, pero era tan silencioso y solitario que no logró hacerse un hueco en una forma de vida que le era demasiado ajena, aunque en aquel momento cualquiera con un par de ideas nuevas y una cierta gracia podía. Nunca sabía si debía aceptar una invitación hasta estar seguro de que Andrea iba a asistir. Y como se imponía siempre la improvisación, cuando él se decidía la cena ya había tenido lugar y los invitados se habían esparcido por otras tantas fiestas tan inesperadas como la anterior sin que lograra adecuar su paso al ritmo de la noche de la ciudad.

—Es muy fácil —decía Andrea—, déjate llevar. Ve si te apetece, si no, no vayas.

—¿Y si voy y tú no estás? —preguntaba él.

—Qué más da, me verás al día siguiente, o llegará un momento que sabrás si voy o no sin que yo te lo diga.

114

Pero ni le gustaba ahora ni le gustó nunca la vida social, ni siquiera la de entonces que tenía siempre un tono menos reposado, menos interesado, menos de invitación a plazo fijo, como la de la Europa profunda, ni habría de gustarle en Nueva York, ni de nuevo en Barcelona. Y si años después se había doblegado y asistía a muchas de las cenas a las que era invitado lo hacía como concesión al éxito pero nunca le encontró el menor placer. Era adusto, callado y en aquellos primeros meses se creía en posesión de un espíritu crítico demasiado acerado para soportar tantas horas de conversación inútil. Además el alcohol en lugar de animarle a hablar le sumía en un mutismo en el que sus anhelos y fantasmas cobraban vida a medida que aumentaba la dosis y cuando llegaba a la quinta copa se había encerrado en sí mismo y había construido un impenetrable reducto de silencio en medio del bullicio de voces y músicas donde la espera se le hacía más insoportable aún. Lo único que quería era ver a Andrea. Porque en aquellos meses de verano a verano apenas si pensó en algo más, de ahí que aceptara el papel de esperar que ella, que todo lo dirigía y de quien todo dependía, le había adjudicado: esperar que sonara el teléfono, esperar un encuentro casual, esperar a que se acercara, a que volviera de sus fines de semana, a que encontrara un pretexto que les permitiera pasar juntos unos pocos días, y esperar a que decidiera qué iba a ser de sus vidas. Y como si el tiempo que no pasó con ella, pensando en ella, se hubiera borrado de su memoria y de su vida, apenas podía recordar en qué trabajó porque ya se sabe qué escasa existencia tiene aquello de lo que no se habla y menos aún aquello en lo que no se piensa y con los años la memoria, que no registró las razones que le hacían hablar o pensar, le dio una versión tamizada y parca en la que no aparecían, por ejemplo, las mentiras que inventaba para crecer a sus ojos y olvidar

115

él mismo hasta qué punto estaba lejos de ser el hombre seguro con un destino trazado y un porvenir que ofrecerle que hubiera querido ser para ella.

Mentía porque de ningún modo quería que conociera su precaria situación laboral y fingía a veces tener otros trabajos, además de su contrato con la productora de Federico, y hablaba de ellos con indiferencia como dando a entender que no eran exactamente lo que le habría gustado pero los había aceptado por la insistencia con que se los habían ofrecido o simplemente por hacer un favor a un amigo y sin darse cuenta empleaba el mismo tono y la misma doblez que tantas veces había recriminado en su interior a las personas que le rodeaban cuando se referían a una cena o a un acontecimiento social a los que pretendían haber sido requeridos con esa misma insistencia, no tanto por convencerse a sí mismos de que así era cuanto por olvidar los esfuerzos y horas que habían perdido para no quedar al margen, sabedores, como él mismo, de que sólo esas palabras habían de darles ante sus propios ojos, y ante los de algún inocente despistado, el prestigio que no tenían y que no podrían jamás alcanzar de otro modo. Llámame mañana a las diez en punto, le decía cuando se separaban, después tengo ese trabajo que me retendrá hasta tarde. No te olvides. Y para evitar la espera, la inagotable espera junto al teléfono, descolgándolo cien veces para comprobar que tenía línea y estaba bien colgado porque no podía comprender que habiendo convenido que llamaría a esa hora no lo hiciera, se ponía a escribir para que fuera cierto que tenía algo que hacer y de ningún modo su inactividad pudiera aumentar en ella la seguridad de que le tenía siempre a mano. Pero no lograba concentrarse en un guión que de hecho no terminó hasta un año más tarde, en Nueva York, porque era demasiado consciente de que sólo estaba haciendo un esfuerzo para engañar la espera, y aun-

116

que habría querido apasionarse hasta el punto de olvidar el teléfono para que cuando finalmente sonara le cogiera desprevenido, nunca lo consiguió. La espera anulaba cualquier otro proyecto y en eso residía una parte del tormento, bien lo sabía. Sin embargo nunca le dijo lo que había sufrido ni por supuesto lo que estaba dispuesto a sufrir. Y no por temor a que no llamara que, estaba seguro, indefectiblemente lo haría sino porque mucho antes de la hora la incertidumbre ya llenaba el ámbito de su conciencia con un fermento de angustia que podía palpar con las manos, unos monstruos y fantasmas que se sucedían y se superponían y crecían con cada minuto, que tomaban formas precisas y le herían a embestidas y dentelladas: se sentía olvidado, abandonado, ultrajado y finalmente le atribuía tal doblez o tan estudiada estrategia de equilibrio —o de represalia quién sabe por qué desconocida razón— que él mismo habría estado dispuesto a poner en práctica de no habérselo impedido la duda y la suspicacia que se adherían y permanecían en su conciencia, incluso después de haber cedido la tensión con la llamada, prolongando el dolor y la amargura. Andrea, que parecía conocer y además no importarle el pretexto, llamaba a las nueve de la noche pidiendo vagamente disculpas y a veces ni siquiera eso.

Otras veces, no pudiendo soportar más la espera, era él quien llamaba y después de haber intentado hacerla descender de sus fantasías, de sus zalamerías y de sus sueños lograba arrancarle unos minutos al final del día que la mayoría de las veces no iban más allá del tiempo de tomar una copa en el bar del Hotel Colón, donde por un motivo u otro siempre había de pasar antes de cenar para entrevistarse con algún personaje, o la vaga promesa de que quizás se encontrarían en Boccaccio después de la medianoche.

No era mucho, pero le tranquilizaba. Era como

poner un límite al tiempo infinito, como fabricar un objetivo preciso al final del día, como enmarcar un paisaje o vislumbrar el punto final de las horas interminables que tenía ante sí. Entonces llamaba a la productora con la seguridad de que nada había de ocurrir porque a Federico cada vez le era más difícil conseguir los permisos, y salía a la calle y caminaba por la Gran Vía hasta internarse en el barrio de Santa Catalina bordeando callejas empedradas, evitando el ruido de la Vía Layetana sumida siempre en la penumbra, y por el barrio umbroso de Santa María del Mar salía a la Plaza de Palacio y al Paseo de Colón. La tarde se estaba velando y un sol tibio, oreado, trataba de abrirse paso entre las nubes. El cielo movido de invierno se oscurecía a veces cobrando el ambiente la humedad oscura del asfalto. Se desperezaban las palmeras con la brisa del mar y los claros de luz que el viento dejaba en la ciudad le confundían. Cuando sea rico, pensaba desde el pedestal de su inactividad, viviré en el piso más alto de una de esas casas sólidas y patriarcales de grandes portalones y escaleras de amplio vuelo, y tras las persianas de mi habitación descubriré todos los días a lo lejos el mar más allá de los tinglados y los mástiles de los veleros y cuando se ponga el sol contemplaré desde mi casa la línea nítida del horizonte rojo de atardecer. Volvía a mirar el reloj para convencerse de que faltaban sólo dos horas para esa copa al final de la tarde porque de repente el paseo adquiría con la luz un tono de mañana de fiesta que duraba unos instantes antes de caer la lluvia. Poco a poco los claros se hacían más escasos, las palmeras se calmaban, se oscurecían las fachadas ya de por sí oscuras del paseo y al poco rato se encendían las farolas, los faros de los coches coincidían con un guirigay de bocinas porque había comenzado a caer la lluvia suave, sin gotas ni goterones, tan tenue que se confundía casi con la humedad densa que la había precedido.

Otras veces subía hasta Consejo de Ciento y hacia finales de marzo se quedaba arrobado con la luz que se filtraba por las diminutas hojas de los plátanos, o bajaba hasta la Rambla y se sentaba en una silla de madera y se entretenía en tejer y retejer sueños que le redimían de esa pasividad a la que le habían sometido un arrobamiento y dulzura tan profundos que se habían llevado sus deseos e inmovilizado su ambición. Luego se iba al Colón.

Le habría gustado que alguna vez ella estuviera ya esperándole pero llegaba siempre cuando todavía faltaban quince minutos y aunque antes de entrar contaba hasta cien y a veces hasta mil, daba diez vueltas a la manzana o subía y bajaba las escalinatas de la Catedral para darle tiempo al tiempo a transcurrir, la aguja del reloj apenas si avanzaba. Un solo día llegó con retraso, incluso se había visto obligado a tomar un taxi, un lujo que apenas podía permitirse porque el dinero se le iba terminando pero la angustia de que ella siempre con prisas se hubiera marchado se unía a la emoción de verla sentada por una vez ante su *gin and tonic*. Sin embargo ese día ella no fue. Lo supo al pisar la alfombra floreada del pasillo que se extendía hasta el bar. Lo supo sin saber que lo sabía, consciente de que por alguna señal misteriosa había recibido el mensaje, y mucho antes de llegar a la puerta vio el sofá donde en sueños tantas veces ella le había estado esperando, vacío, sin Andrea, ni su *gin and tonic*, ni la intensidad porosa de su mirada azul.

Ahora al cabo del tiempo le era difícil saber si iba todos los días al Colón o fue solamente de tarde en tarde. El tiempo había elaborado su propia versión de ese año que estuvo en Barcelona pendiente del permiso de rodaje que había de llegar de un momento a otro y del teléfono, o de esa hora robada al trabajo que Andrea de una forma u otra le regalaba entre entrevistas, reuniones y cenas.

Cuando pensaba en esos paseos no era capaz de saber si fueron tantos o unos pocos y no acertaba tampoco la memoria porque la mañana invernal y clara de la ciudad no casaba con las hojas incipientes en la calle de Consejo de Ciento o con las gotas de humedad que vibraban en el haz de luz de las farolas a las cinco de la tarde, y sólo veía imágenes superpuestas sin lograr más que una secuencia entera con un único epílogo: la vuelta a casa una vez terminado el día y perdida la esperanza para ese hoy que se escurría en el amanecer y en la soledad de su cama colonial.

A veces una sola imagen en el recuerdo abarca un periodo completo y acaba definiéndolo de forma distinta a lo que fue en realidad. A veces basta evocar una tormenta de verano con el cielo oscuro, movido y amenazador, con indicios de rayos que apenas estallaron en truenos y dejaron en el aire un fragor sordo y lejano, para que desaparezcan de ese verano los días soleados, los plácidos crepúsculos, las noches con grillos y cigarras y nosotros mismos buscando en la calma del cielo de agosto las estrellas que cayeron en la oscuridad.

Decimos: fue la época en que todos los días me sentaba en el café Doria de la Rambla de Cataluña cuando de hecho nos sentamos allí una tarde por casualidad o porque teníamos una cita con alguien que no apareció y nos quedamos mirando las hojas de los plátanos y los adoquines de la calle y los coches atropellándose y los chicos y chicas de la academia de la esquina caminando arracimados, con el fondo de edificios y tiendas que hemos visto no sólo permanecer sino también variar y sustituir conformando las capas y velos de nuestro recuerdo sin apenas ser conscientes de los cambios que se suceden a golpes silenciosos, un balcón convertido en ventana, una mercería desaparecida o un banco de madera sustituido por el desapacible banco de diseño de metal. Y permanecemos extasiados ante el pulso de la ciudad a las siete de la tarde que casi nunca tenemos tiempo de contemplar, comienza a oscurecer y la luz adquiere una tonalidad marina y recala en el aire, sobre las copas de los árboles y entre el chasquido de las ruedas de los coches contra la humedad de los adoquines del pavimento, el desgarrado lamento de la sirena de un barco: un canto para quien ha nacido junto al mar que se escurre entre nubes y humos y árboles y casas y sube por las calles hasta las laderas del monte, y nos devuelve a la tarde de nuestra infancia en que otro lamento como ése abría el camino hacia la fantasía y la aventura, la vaga inquietud de descubrir una senda desconocida que venía a intranquilizar la somnolencia de la tarde inmóvil y del libro al que no había forma de volver la hoja y que convertía en un chirrido huero y sin sentido la voz monótona del maestro. Asoma entonces un estremecimiento de nostalgia por lo que nunca hemos de vivir y respiramos entre humos el aire denso de salitre de nuestro puerto que hemos olvidado porque llevamos años sin ver. Pero ese instante —un amigo quizás pasa saludando o se destaca la conversación de la mesa contigua— logra reunir recuerdos postergados y se nos presenta la esencia de nuestra ciudad mientras recorremos con el dedo la humedad condensada en el cristal del vaso de cerveza retrasando extasiados el momento de beberla. Y es tan intensa la sensación que basta en sí misma para invadir las etapas adyacentes, los espacios y el tiempo que se extienden antes y después de ella, y ese mes o ese año o esa época regidos por el instante del crepúsculo ciudadano quedarán como él titulados para siempre con el aroma de un latido indescifrable.

Así es la ciudad, así es mi ciudad, decía ella en las

raras ocasiones que caminaba con él descubriéndole casas vetustas, cada una con su historia que añadía a las oídas y heredadas de varias generaciones entreveradas con la historia de la ciudad.

—Aquí vivía mi bisabuelo con uno de sus hijos que fue alcalde durante la Dictadura. Y cuando vino Alfonso XIII, mi bisabuelo, que era republicano, cerró los balcones al paso del rey al que acompañaba su propio hijo. Mi abuelo, que era hermano del alcalde, contaba que estuvieron comiendo y cenando en la misma mesa durante más de un año sin hablarse.

Martín sabía que Andrea repetía una anécdota mil veces oída pero había en ella el tono inconsciente de contar la propia historia, con sorna quizás, con burla, pero con el íntimo convencimiento de que de un modo u otro estaba mostrando sus trofeos.

Tenía que volver, debía de ser muy tarde ya. No podía saber qué hora era porque no había luz suficiente para mirar el reloj y estaba tan cerca que de haber prendido una cerilla le habrían descubierto. Si no aparecía dentro de poco saldrían a buscarle.

Martín la vio mirar en dirección de la mezquita y aunque no oyó lo que decía ni pudo ver el movimiento de sus labios supo que estaba buscándole. Vestía de blanco, siempre vestía de blanco, con esas faldas lánguidas de amplio vuelo que se movían al menor gesto y al más leve soplo de aire, faldas blancas como un plagio de las de entonces, como ella era ahora una copia de sí misma, de la mujer que fue en los tiempos en que su sola presencia era un alarde de libertad e independencia.

Salió de la zona de sombra y avanzó lentamente

fingiendo una calma que no tenía. Andrea al verle se levantó, fue a su encuentro y le tomó de la mano.

—¿Dónde has estado? —preguntó con ansiedad, aunque había en su voz recriminación por la ausencia demasiado prolongada, y ese punto de inseguridad en la censura que asomaba a veces por la entonación escasamente más débil, o por una pausa en el discurso o en la pregunta para volver hacia él la mirada buscando su aquiescencia o tal vez intentando descubrir intenciones ocultas. Una atención por la que tanto habría dado al principio y que ahora, en cambio, le agobiaba y le sumía en una perpetua confusión.

—Anda, ven, siéntate y cena, corazón.

Y esa forma de acabar las frases añadiendo «corazón» que utilizaba en público con un tono desenvuelto y natural y que diez años después todavía le producía un vago escalofrío de desazón como el chirrido del tenedor en la porcelana o el rasguño de la tiza en la pizarra. Nadie se daba cuenta del leve gesto de impaciencia visible únicamente por un conato de mohín en la comisura del labio superior, o por el cambio de una mano a otra del objeto que estuviera sosteniendo, tal vez porque los años los habían convertido en una reacción automática, un simple resorte de respuesta despojado ya del desagrado que lo provocaba. Quizás sólo ella lo captaba, quizás era ese breve y casi agotado movimiento de rebelión lo que la hacía insistir con una tenacidad que sólo cedería cuando el temblor involuntario del labio superior no fuera visible ni siquiera para ella.

—Siéntate a cenar, corazón —repitió dulcemente—. Te estábamos esperando.

Pero antes de que ocupara la silla cambió el tono:

—¡Dios Santo! ¡Cómo te has puesto! —y más inquisidor aún—: ¿Qué has estado haciendo?

Tenía todavía polvo en los brazos y el agua de la

123

fuente no había hecho más que convertirlo en reguerones de lodo que el calor había secado dibujando
arabescos en la piel.

—Nada, no es nada, tropecé y caí, eso es todo. —Y
para que nadie pudiera verle la pierna se sentó a
devorar los pimientos y berenjenas que Giorgios le
acababa de servir. Pero antes bebió un gran vaso de
vino de resina para calmar la sed y porque quería
tranquilizarse.

Con la pierna herida bajo la mesa, oculta la mancha de sangre, había apenas recobrado la calma
cuando por una callecita del fondo de la plaza apareció la vieja. Caminaba al mismo compás que durante la subida y el descenso y por un momento
creyó que se dirigía hacia ellos. Pero pasó de largo
sin ni siquiera mirarlos. A una cierta distancia como
si temieran alcanzarla, la seguía un grupo de gente y
más lejos caminaba en la misma dirección el Pope
que ahora, entre el griterío y sus propios aspavientos y voces, había perdido la ebria majestad de unas
horas antes cuando su paso por la plaza más parecía
un desafío al universo entero que el camino rutina-
rio hacia su deber de campanero. Le acompañaban
el jefe del destacamento y un soldado, ambos con el
rostro brillante de sudor, abierta la camisa caqui del
uniforme y desgarradas las charreteras por el uso y
el tiempo.

Fue Pepone, que se había levantado de la mesa
para acercarse a ellos, quien al volver les contó lo
que ocurría: había desaparecido uno de los perros
del Pope, dijo, y ahora corrían todos tras la vieja
porque decían que ella era la culpable. Martín bebió
otro vaso de vino pero no habló y apenas miró lo que
ocurría; como si estuviera ocupado en quitarse un
pellejo de la uña mantenía la vista fija en el dedo y
parecía oír distraídamente las explicaciones de Pepone.

—Son perros que excepto cuando pasean con el

Pope o le acompañan al campanario rondan por el pueblo. Conocen a todo el mundo y sólo ladran a la vieja, quién sabe qué es lo que les turba o molesta en ella. —Se detuvo un momento satisfecho de la atención que provocaba. La plaza estaba silenciosa de nuevo pero aún podía oírse a lo lejos el griterío que se alejaba tras la mujer—. Aunque tienen aspecto de perros fieros no lo son —añadió—, y estoy convencido de que el Pope los lleva a su lado no como protección sino para hacerse respetar y temer, del mismo modo que se pone las vestiduras para los oficios y adquiere así la majestad que la naturaleza le ha negado. El Pope es quien manda en esta isla —continuó—, el Pope y su amigo, el jefe del destacamento, uno de los que iban con él. Aquí no hay más policía que ellos.

—¿Y por qué suponen que la vieja ha matado al perro? ¿Qué puede haber hecho con él? —preguntó Andrea.

—Dicen que la vieja es bruja —explicó Pepone, que apagaba ahora su cigarrillo y recogía la gorra dispuesto a irse—, y que tal vez harta de que le ladrara le ha echado mal de ojo o un sortilegio, quién puede saberlo. Lo cierto es que el perro ha desaparecido y ella tiene sangre en la orla de la saya. —Se levantó y saludó con la mano—. Volveré mañana. Adiós. —Y desapareció por la misma calleja que los demás, perdido como ellos en el silencio y el bochorno de la noche.

V

—¿Nos vamos a dormir? —preguntó Leonardus—. No parece que en este pueblo haya mucho más que hacer —chasqueó la palma de la mano en el muslo de Chiqui y se echó a reír.

—Quita, ya —dijo ella de malhumor.

Martín echó mano de la cartera para ir a pagar la cuenta pero en el bolsillo del pantalón no había más que unos billetes arrugados y varias monedas. Recordaba muy bien haberla cogido del estante de su camarote cuando Chiqui había ido a buscarles aquella tarde. Además, había pagado la cinta al hombre del mercado, ¿dónde la habría metido?

De repente sintió un frío intenso en las sienes porque la memoria enarboló lo que la conciencia no había recogido entonces y oyó distintamente el chasquido de un objeto que caía al suelo en el mismo momento en que había sacado el pañuelo del bolsillo para limpiarse la herida sin atender a nada que no fuera el dolor en la pierna. Allí habría quedado la cartera. Hizo un gesto a Leonardus para indicarle que se había olvidado el dinero en el *Albatros* y entretanto intentó recordar qué es lo que había en ella que pudiera delatarle. No había documentos, pero ¿estarían las tarjetas de crédito o las habría dejado en el barco junto con el pasaporte? Sin embargo dos o tres días antes habían ido a tierra en la chalupa, habían cenado en un restaurante de la playa y él había pagado la cena con tarjeta. No recordaba el nombre del pueblo, Kinik o Kalkan, algo así. Fue la noche en que Leonardus harto de la discusión que mantenían Andrea y Chiqui se había ido a tomar el café a la terraza.

—Esos debates feministas, esas excusas para esconder la debilidad, no pueden interesarme menos —había dicho al levantarse.

—No son excusas ni debates feministas —replicó Andrea un poco tensa—, son la verdad. Lo digo y lo repito, una mujer sola ha de trabajar dos veces lo que trabaja un hombre para sobrevivir, en todos los sentidos.

—Pues no tiene más que buscarse compañía —dijo él sonriente ya casi en la puerta—, y eso es fácil. —Y añadió volviéndose—: Os espero fuera, tomando el fresco.

Fue entonces al ir a pagar al mostrador cuando Martín había sacado la tarjeta de la cartera, lo recordaba bien, agradecido casi de tener un pretexto para alejarse de la mesa.

—Y además —seguía enfurruñada Andrea por la partida de Leonardus, como si continuara un debate iniciado muchos años antes— una mujer sola, socialmente no existe.

Chiqui la miró con sorna:

—Eso será entre la gente de tu edad y en tu mundo. Yo estoy sola y existo —dijo.

Y respondió Andrea con la invectiva suspendida en la voz:

—No parece que estés tan sola.

—No estoy sola en vacaciones, pero sigo sin marido ni amante ni siquiera novio, si es de eso de lo que estamos hablando, y aun así sigo existiendo —y se alejó también.

Entonces Andrea, sola en la mesa, para ser la última en hablar, levantó la voz más como una amenaza que como una premonición y dijo casi para sí misma:

—Espera y verás —y se puso a hacer barcos y pajaritas con la servilleta de papel.

Desde el mostrador Martín había temido que Andrea se echara a llorar como había ocurrido la tarde de los delfines. Pero al poco se levantó y salió afuera con los demás ya calmada.

Él había pagado entonces en el mostrador y se había guardado la tarjeta y el comprobante en la cartera. Andrea había estado demasiado enfrascada aún en sus pajaritas y en su propia irritación para recogerla como hacía a veces cuando insistía en que él la iba a perder o a olvidar sobre la mesa como había ocurrido en tantas ocasiones.

—Andrea, ¿tienes tú mi tarjeta de crédito? —le preguntó aun así.

—No —dijo ella que se había adelantado con Chiqui y se había colgado del brazo de Leonardus—. Tú la utilizaste para pagar la cena hace un par de días, ¿recuerdas?

Sobre la mesa entre los pedazos de pan y los vasos a medio vaciar había quedado una caja de cerillas. Martín se la metió en el bosillo y siguió a los demás.

El calor no había amainado. Caminaron lentamente hacia el *Albatros* y Andrea se demoró y le tomó de la mano, pero él se desasió y puso las suyas en sus hombros situándose tras ella y la hizo caminar a su propio compás siguiendo a los otros dos como si se tratara de un juego, de forma que nadie pudiera verle la pernera manchada del pantalón.

Al llegar a la pasarela saltó Leonardus, que se volvió y tendió la mano.

Andrea miró a Martín.

—Pasa tú —dijo.

—No —dijo él—, pasa tú.

—Anda, dame la mano. Tienes vértigo, ¿recuerdas? —se impacientó Leonardus.

Ella puso un pie, tomó la mano que esperaba y saltó riendo otra vez su propia gracia.

—Siempre da miedo —dijo para disimular.

Pero él no la oyó. Dejó que Chiqui pasara y desde el muelle, apoyado en un bidón que le ocultaba la pierna, dijo:

—Me voy a dar una vuelta.

—¿Otra vez? —preguntó Andrea—. Es tarde ya. Ven.

—No —dijo él—. Voy a caminar.

—Lo que había que ver ya lo hemos visto. Anda, ven —repitió.

—No me apetece ahora meterme en la cama.

—Estaremos en cubierta tomando una copa —gritó Leonardus y bajó a la cabina a buscar hielo.

—Ya he tomado copas suficientes, ahora quiero caminar —se alejó unos pasos hasta caer fuera de la luz de la farola pero se detuvo y sólo reanudó la marcha cuando ella, con la incertidumbre en la voz, gritó:

—Espera, voy contigo, dame la mano.

Entonces sin hacerle caso le dio la espalda y echó a andar hacia la calleja que se abría casi bajo el balcón de madera, echadas ya las persianas y cerradas las cristaleras. Y desde la zona de sombra la vio de pie en la pasarela con el arco de su falda blanca que el inicio de un paso había dejado suspendido un instante, la mano izquierda aferrada a una jarcia y la derecha extendida en un gesto sin sentido, y tras el destello de la farola en los cristales de las gafas el pavor de la mirada sobre el vacío que la separaba del agua.

Todavía oyó su voz volviéndose hacia Chiqui que contemplaba la escena.

—Sé que se va con ella —dijo en un susurro.
—¿Qué ella? —preguntó Chiqui sin interés.
—Ésa de la casa de la parra.
—No digas tonterías. Ni siquiera la conoce.
—Da igual. Lo sé.
—Eso es como tener celos de los muertos —dijo Chiqui y entró a su vez en la cabina.

Andrea cerró los ojos y sin soltar la mano se deslizó hasta quedar sentada en el suelo con el brazo todavía en alto, y como el punto final de un arabesco inclinó la cabeza sobre el pecho y se quedó inmóvil, tal vez tratando de convencerse a sí misma de que nada podía ocurrir, que nadie había en esta isla maldita a quien él pudiera acudir porque había sido casual su llegada a ella. Pero aun así debió de sentir efectivamente una punzada de celos, de los verdaderos celos, de los que no tienen rostro ni espalda, los celos de lo intangible, quizá de los muertos, como acababa de decir Chiqui, de los olvidados, de los irrecuperables, de las sombras, porque de otro modo, pensó Martín, habría entrado en el camarote segura de que él había de volver inmediatamente.

Entonces, sabiendo que nadie iba a seguirle, se adentró en la calle y aceleró el paso. Poco a poco sus ojos se hicieron a la oscuridad. De vez en cuando una farola empotrada en el muro daba una luz amarilla tan tenue que su resplandor apenas llegaba al suelo. Vio una ventana abierta y otra bombilla colgando del techo y escasamente adivinó el tono de la pared. Siguió caminando por una callecita tan estrecha que extendiendo los brazos habría tocado las casas con ambas manos. Para evitar el muelle recorrería el pueblo por la parte alta contorneando la bahía y buscaría el camino hasta encontrar el lugar y recuperar la cartera, que debía de estar en el suelo junto al perro. Pero tenía que ir con cuidado para no toparse con los hombres que lo buscaban. Tal vez alguien le seguía. Se detuvo un momento y escuchó.

Silencio. Avanzó de nuevo pero fue a dar a un descampado, tuvo que volver sobre sus pasos y se encontró entre casas deshabitadas de techos desplomados y ventanas vacías donde las hojas de un árbol que no alcanzaba a ver se movían balanceadas tal vez por las correrías de las ratas o por el peso de los mochuelos escondidos en el ramaje. Siguió caminando y supo que pasaba tras el viejo mercado por el olor a pescado que los siglos habían impregnado en los soportales de madera y pendía aún en el vaho de la noche, y cuando le pareció que mirando a la bahía, el muelle y el *Albatros* ya quedarían a su izquierda descendió hasta la riba y arrimado a las casas siguió la dirección del faro. Subió y bajó un sinfín de callejas en las que no había reparado antes pero no logró encontrar la casa de la parra. Sin embargo no era esa casa lo que buscaba ahora, ni la chica del sombrero, irrealidad suplantada por el terror irracional a ser descubierto. Pero aun así tampoco daba con el lugar. Volvió a la plaza de la mezquita e intentó reconstruir el camino que había hecho esta tarde con la vieja. Tomó la cuesta y comenzó a subir las escaleras. Tras él unos pasos repetían los suyos como un eco. Se detuvo pero el mundo se detuvo con él, no había más rumor que el roce del mar lejano contra la riba, y siguió buscando. Al llegar a una loma le pareció que reconocía el punto desde donde el hombre tuerto le había descubierto y se estremeció de nuevo al recordar su risa. Descendió entonces seguro de encontrar la farola que le había iluminado y una vez allí bajó casi a tientas el camino de piedras. Se hizo a la tiniebla de los muros y descubrió la verja tras la que había desaparecido la vieja. Reconoció el lugar exacto donde había luchado con el perro y encendió una cerilla, pero no había nada en el suelo. Recorrió la cuesta apurando las cerillas que quedaban hasta quemarse las yemas de los dedos y tampoco encontró la cartera. Alguien había pasado antes que él y se los había llevado, y además había allanado el terreno porque no había la menor huella y parecía tan virgen como la arena del desierto tras la tormenta. Y como si hubiera descubierto testigos ocultos de su propio terror se sintió vigilado y amenazado y precipitadamente, después de haber mirado por última vez el suelo vacío, echó a correr cuesta arriba y no se detuvo hasta llegar a lo alto del promontorio. Jadeaba aún cuando, sin dejar de escrutar los ruidos de la noche, se sentó en una piedra y apoyó la cabeza en un muro en ruinas. El aire era allí ligeramente más perceptible pero no logró desvanecer la inquietud que le agobiaba desde el atardecer, cuyo origen había atribuido a la asfixia del calor y a la lucha con el perro, incrementada ahora por el temor a ser descubierto. El mar en calma debía de estar muy por debajo. No podía verlo pero a lo lejos oía el choque acompasado y tenue del agua contra la roca.

Una estrella rasgó el cielo hasta extinguirse donde debía de estar el horizonte. Es verdad que en el verano caen las estrellas, pensó con indiferencia, pero siguió su recorrido y luego el de otra y otra más. Clareó levemente en toda la atmósfera y aparecieron las líneas del horizonte marino y el contorno más oscuro aún de la costa a su izquierda hasta que le envolvió la luz difusa de la mágica claridad de la noche. Tras la loma apareció una tajada de luna sin fulgor ni expansión. En algún lugar volvieron a sonar las campanas oxidadas y en el aire saltaban de vez en cuando atisbos de voces que se perdían en la lejanía. Poco a poco, en el fulgor de aquella noche solitaria bajo un cielo que parecía ampararle sólo a él, el tiempo adquirió un ritmo distinto del que marcan los relojes, distinto incluso de la morosidad que adquiere al navegar. Y recordó otra vez a la muchacha de la mezquita pero no su rostro, que no lograba precisar oculto bajo la trama del olvido que sin embargo amparaba y atenazaba la confusión en que le había sumido el perro y su desaparición y la prueba concluyente de su delito, sino, quizá como recurso por anular la angustia, por escapar del terror en que se encontraba, el inaplazable deseo de reanudar la historia a partir del momento en que la había perdido, como si el tiempo transcurrido desde entonces hubiera sido un paréntesis demasiado largo que quisiera cerrarse ya y permanecer oculto e inamovible en un rincón soterrado de su vida. Era su historia la que había quedado inconclusa, no la de la chica.

Quizá aquél fue el momento en que sucumbió, porque ¿cuándo sucumbió y a quién? ¿O a qué? ¿Cómo saber el momento preciso? ¿Dónde está el umbral, el umbral infinitesimal que transforma sin remedio las cosas? El punto en que la caricia a fuerza de repetirse no produce placer sino dolor. El momento en que el clavo que sostiene un cuadro demasiado pesado para él, cae y con él su carga. ¿Va cediendo paulatinamente en silencio, o bien lo sostiene hasta el fin con la misma tenacidad y se desmorona de golpe al comprender que no podrá soportar el peso por más tiempo? Quizá la conciencia que es perezosa y tardía, cuando aparece la señal y llega la hecatombe, comprende que lo inexorable había ocurrido mucho antes de que se manifestara, del mismo modo que al morir un amor sabemos, si queremos saber, que había muerto hacía tiempo.

Andrea había vuelto a Nueva York cuatro o cinco meses después de su inesperada visita del mes de junio, cuando los árboles comenzaban a perder las hojas que dejaban las aceras tapizadas. Había llegado para quedarse, dijo desde el primer momento de pie en la puerta, casi sin atreverse a entrar. Él había permanecido fiel a la promesa de seguir esperándola y a su memoria, tal vez porque de una forma vaga que no se habría atrevido a definir ni reconocer, comprendió al fin que no podía esperar más que unas imprevistas apariciones y se había refugiado cómodamente en la melancolía. O quizá fuera que las cosas llegan siempre a destiempo, tal vez.

Por esto cuando se disponía a salir a cenar al New Orleans aquella tarde de octubre dejando una luz de situación encendida para que al entrar después de la cena la acogida fuera más cálida, tibia aún sobre el pecho la camisa blanca que acababa de planchar (por la tarde había ordenado el apartamento, cambiado las sábanas y las toallas y dejado en el lavabo una pastilla de jabón perfumado todavía en su envoltorio como había visto hacer en los hoteles y en casa de Andrea, y en la nevera una botella de vino blanco, y rosas rojas en un jarrón sobre la mesa) y al oír el timbre fue a abrir convencido de que era Osiris que con la excusa de subirle el correo quería charlar un rato y se encontró en la puerta con una Andrea estática, casi inmóvil, oscurecido el rostro por unas ojeras desmedidas y en una posición un tanto encorvada, creyó que había tenido una alucinación y a punto estuvo de cerrar la puerta movido por la desazón.

—He venido para quedarme —dijo ella con voz ronca, y apenas pudo sofocar un sollozo.

No era así como lo había imaginado pero la tomó en sus brazos como si se hubiera convertido en una niña pequeña y él curiosamente en su protector, la hizo entrar, despejó el banquillo de la entrada y se sentó a su lado. Parecía tan derrotada que no se atrevió a preguntar qué había ocurrido ni a qué se debían esas lágrimas, tal vez porque él habría llorado también. Tantas veces había deseado que llegara ese instante y en tantas ocasiones se había dicho que no tenía sentido estar separados que no consiguió comprender por qué su presencia le abrumaba de ese modo y le producía tal desasosiego. O tal vez su inteligencia temerosa de que la plenitud soñada no existiera, al tenerla al alcance de la mano se desentendía y se retiraba, o simplemente por instinto de supervivencia se negaba a seguirle porque sabía que la realización de una esperanza tan firme y remota comporta siempre el desengaño y la decepción que a su vez invalidan el entusiasmo necesario para seguir el camino y alcanzar la meta prevista, y antes de perder esa fuente de energía indispensable para continuar y vivir, preparaba el ánimo para el fracaso.

Katas estaría esperando. Tendría que bajar y anular la cena con algún pretexto, o tal vez decirle la verdad. Le había hablado de Andrea muchas veces mitificándola más aún tal vez con el escondido propósito de que permaneciera en el limbo del pasado, igual que se habla de los muertos, deshumanizados por la ausencia y convertidos con el tiempo en vidriosos y mansos personajes sin garra ni pasión que disfrazamos con sus propias virtudes y recubrimos con nuestra melancolía e indulgencia.

Miró el reloj, había tiempo aún. Pero ¿qué le iba a decir? De todos modos tenía que ir, bien lo sabía, así que cuanto antes fuera, tanto mejor. Pero estaba aturdido: una decisión tomada mucho tiempo atrás había desencadenado un proceso que él mismo, su propio autor, no podía ahora detener siquiera el tiempo preciso para comprobar si estaba dispuesto a ratificarla. Mantenía en los brazos la cabeza de Andrea y seguía inmóvil; no habría sabido desprenderse de ella y no podía hacer otra cosa que mecerla y acariciarle el pelo y la nuca, por esperar, por esperar que la solución llegara por sí sola porque no lograba concentrarse ni era capaz de encontrar la decisión ni la voluntad o, simplemente, porque no hay más pecado original que la pereza.

Sonaron en la puerta las dos llamadas de Katas

que tan bien conocía. Pero tampoco se movió. Una vez más, quizá dos, se repitieron. Y habría podido descubrir la incertidumbre en los pasos que se perdieron por el pasillo y oír los jadeos del viejo ascensor camino de la planta de no haber sumergido la cara en el pelo rizado que sostenía entre los brazos, inmovilizando el intento de Andrea por incorporarse, y de no haber encontrado un último refugio en la vehemencia de sus propios besos en el cráneo, el cuello y las orejas. Pero así arropado se dejó envolver por el olor y el contacto que dejaron de ser meras reminiscencias y cobraron por fin su exacta dimensión: sólo entonces se reconoció a sí mismo en un tiempo que una vez más había perdido su ritmo y su cadencia. Y cuando las campanas del reloj de la iglesia ortodoxa rusa dieron las nueve, o las ¿las diez?, y se levantó para abrir la botella de vino blanco, recordó vagamente la cita y su decisión de bajar un momento al piso 14 y la doble llamada en la puerta pero ya casi no era consciente de lo que estaba ocurriendo, concentrado más en su propio aturdimiento que en la prolongada inmovilidad de Andrea y su silencio, o el injustificado desaire con que había castigado a la mujer para quien había puesto a enfriar ese vino.

Hasta al cabo de tres días no fue a ver a Katas. No la había llamado ni la había visto y no sabiendo aún qué decirle ni cómo, las pocas veces que había salido a la calle a por pan y periódicos y tabaco había temido encontrarse con ella en el ascensor. Le agradecía que no le hubiera llamado pero le dolía al mismo tiempo. Quizá lo había hecho en su ausencia y Andrea se lo había ocultado. No podía saberlo porque tampoco se atrevía a preguntar.

Bajó al piso 14 a una hora en que habitualmente estaba en casa, se detuvo en cada peldaño por buscar las palabras que iba a pronunciar y se quedó de pie ante la puerta indeciso. Finalmente llamó.

Al poco se abrió y apareció un hombre alto y corpulento que vestía una camiseta, estaba sudoroso y sostenía un martillo en la mano. Tras él, el apartamento estaba vacío. En su confusión creyó haberse equivocado de piso, pero cuando efectivamente localizó el número 14 sobre la puerta de los ascensores preguntó por ella.

—Se ha ido. Aquí vivo yo ahora —dijo el hombre y cerró la puerta.

Llevado de un pánico súbito y violento bajó a la planta baja y preguntó a Osiris, que leía el periódico sentado tras el mostrador:

—¿Dónde está Katas?

—Ella se fue. Ella terminó sus estudios.

—No tenía que irse hasta Navidad. Faltan todavía más de dos meses.

—Pues ella se fue ayer. Yo creía que tú sabías.

—¿Dejó una dirección?

—No, ella no dijo nada. Ella llevaba muchos bultos...

Volvió a la biblioteca a horas distintas, preguntó en la Universidad y el hospital, fue al gimnasio y recorrió las calles del barrio buscándola hasta que se convenció de que había desaparecido para siempre, aunque incapaz de reconocerlo se aferraba al convencimiento de que aún contaba con el azar para volver a verla, y para tranquilizarse mantuvo indecisa en el alma la premonición de que un día, en algún lugar, había de encontrarla. A veces en el metro o en la calle volvía sobresaltado la vista tras la chica con cola de caballo que había salido en esa estación o había doblado la esquina. Pero dejó de sufrir por ello, quizá porque estaba tan pendiente de Andrea, era tan nuevo todo lo que le estaba ocurriendo y trabajaba tanto y tantas horas que apenas tenía tiempo de más.

Vivía enloquecido para construir una vida a dos en la que, tras la sorpresa, no parecía haber más nube que sus dudas recurrentes. A veces cuando Andrea ya se había dormido a su lado se quedaba con los ojos fijos en el techo pensando en ella. Le llenaba de orgullo que hubiera renunciado a su profesión, a su marido, a sus hijos y a su ciudad por él pero al mismo tiempo le abrumaba, y había sido tan inesperado y el desplazamiento de intereses era tan desmedido que no podía sino pensar que Carlos, aun siendo el ejemplo de hombre civilizado que siempre había descrito Andrea, había descubierto su viaje del mes de junio a Nueva York y se había cansado de tanta infidelidad. Y en la soledad que inflige la suspicacia imaginaba lo que había ocurrido. Conocía el escenario: el salón de la casa con el mar al fondo. Era por la tarde y la última luz del ocaso acentuaba la penumbra del interior. Andrea entraba con la maleta en la mano y cerraba la puerta con cuidado para evitar que golpeara. Carlos dormitaba en un sillón con el periódico en las rodillas. Ella se deslizaba furtivamente hacia la escalera que subía a las habitaciones. Carlos se desperezaba vagamente con el ruido de la puerta y se levantaba hecho una furia. Una furia, no, nunca le había visto enfadado. No era ese tipo de hombre. Se levantaba y torciendo el gesto de la boca en un rictus amargo y un tanto cínico... No, tampoco había de ser así. Quizá lo que no funcionaba era el escenario porque era junio cuando Andrea fue a verle a Nueva York y ellos no iban a Cadaqués hasta julio por lo menos. Debía de ser en su casa de Barcelona. Ella llegaba del aeropuerto. Eran las ocho de la mañana. La entrada de puntillas servía igualmente. El marido ¿estaba desayunando? No, era demasiado temprano. Estaría todavía en la cama, o mejor en el baño, con lo cual ella tendría ocasión de dejar la maleta en la entrada, cambiarse, o meterse en su cuarto con el pretexto de un terrible dolor de cabeza. ¿Qué es lo que le hacía suponer que Andrea había entrado subrepticiamente en la casa?

Lo más probable es que Carlos hubiera ido a buscarla al aeropuerto. ¿Qué habría ocurrido pues? ¿Qué habría producido la ruptura?

La noche de su llegada, Andrea, escondida aún la cabeza en su regazo, le había contado con muy pocas palabras que había sido ella la que a raíz de la visita del mes de junio y no pudiendo hacer frente por más tiempo a su propia doblez se había visto obligada a elegir. Pero no dio más detalles que las disposiciones legales que su marido como abogado había convenido a su modo, eso sí lo insinuó, y a los acuerdos que habían llegado sobre los hijos que vivirían con él.

Durante todo el tiempo, casi dos años, que estuvieron juntos en Nueva York y aún después, incluso ahora en las largas horas de navegación sin saber qué hacer, había ido cambiando los escenarios y los diálogos y los había elaborado mucho más que cualquiera de aquellos guiones que escribía antes de que ella llegara, pero ni siquiera al cabo de los años había logrado una versión firme y convincente que le disputara la oficialidad a la de Andrea. Y cuando recrudecía la duda no le hacía falta cerrar los ojos para asistir a una escena tormentosa en la que el marido la esperaba en casa paseando por la habitación como un león enjaulado, dolido por una infidelidad tan prolongada que más que uno de tantos devaneos suponía una traición; porque como bien repetía a lo largo de la noche interminable era ella quien había roto el pacto que habían establecido entre los dos, y él por tanto estaba decidido a tomar represalias. Andrea entonces, derrotada, perdido el trabajo en la empresa de él, no queriendo estar sola como había dicho tantas veces, e incapaz de hacer frente a una sociedad que la había conocido triunfante, no encontraba otra solución que ir a Nueva York a reunirse con él. Porque en realidad, se decía remachando su propio dolor, ¿qué podía importarle

139

un muchacho vagabundo, sin futuro, sin dinero, diez años más joven que ella y que no tenía más que devoción que ofrecerle? ¿Cómo, voluntariamente, podía haberle elegido a él?

A veces estaba tan convencido de la versión que había tramado su propia imaginación y se dejaba llevar de tal modo por la desconfianza, que se sumía en un mutismo prolongado y profundo, se iba alejando de ella y la dejaba sufrir como si el destino le hubiera adjudicado el papel de justiciero.

Así fue como a las pocas semanas de llegar Andrea a Nueva York desapareció dejando un simple mensaje sobre la mesa de la cocina para que no se le ocurriera avisar a la policía. Tres días estuvo ausente, tres días que pasó encerrado en un motel de New Jersey perdido en una carretera entre tinglados cerca del Hudson con una actriz que había conocido hacía varios meses en un rodaje, amándola con brutalidad e insistencia como si con ello hubiera podido paliar su despecho.

Cuando volvió encontró el cuarto cerrado con llave. El apartamento era reducido y oía su respiración tras la puerta sobre el fondo de frenazos, bocinas y sirenas. Sacudió el tirador no por querer forzarlo sino por darle a entender que había vuelto.

—Andrea —dijo quedamente haciendo bocina en el quicio de la puerta—, Andrea, abre.

Pero no hubo más respuesta que el chirrido de un muelle del colchón. Se ha dado la vuelta, pensó. Miró por el ojo de la cerradura: el anuncio luminoso que recorría la esquina del edificio lanzaba intermitencias de color sobre un segmento de la pared, los pies de la cama y el suelo. La cabeza estaba en la penumbra pero alcanzó a ver cómo metía el brazo bajo la almohada y se cubría el hombro con la sábana, como hacía siempre, incluso los días en que no se podía soportar el calor de la calefacción, porque decía que necesitaba peso para dormir.

—Andrea —repitió—, abre, por favor, abre. —Golpeó la puerta—: Abre. Te lo ruego, te lo contaré todo. Déjame que te lo cuente.

Chirrió el muelle otra vez.

—Andrea —repitió aún, casi en un susurro, pero cuando se convenció de que era inútil seguir llamando y se vio a sí mismo aplastado contra la puerta recitando una súplica que se había convertido en estribillo, se dejó caer en el sofá desvencijado que ambos habían recogido de la calle a los pocos días de su llegada cuando sólo las lágrimas de sus ojos miopes enturbiaban un presente que ahora le parecía irrecuperable y permaneció atento al indescifrable sonido del aire, concentrado en la habitación, en las sábanas que tan bien conocía y en la mujer que yacía entre ellas a la que nunca había amado tanto.

Nada rompió la densidad de aquel silencio que alejaba el metálico rumor de la calle, y rendido de cansancio y de dolor y de la carencia que trascendía la medida de su deseo, se le cerraron los párpados y sucumbió a la duermevela del que no quiere dormir pero le vence la somnolencia a cabezadas, hasta que casi al amanecer traspasó la puerta un breve suspiro o quizá un sollozo contenido. Sólo entonces se abandonó al sueño mecido por el balanceo consolador del dolor ajeno.

Aunque al día siguiente ella amenazó con irse, la reconciliación que siguió fue tan esplendorosa que se convirtió en una pauta, un modelo de comportamiento al que él habría de recurrir ávido no tanto para desterrar el remordimiento y alcanzar el perdón por las infidelidades a las que se lanzaba cuando aparecía de nuevo el fantasma de la duda que ya no había de dejarle en paz, cuanto por recobrar la seguridad y disponer una vez más de la confirmación de su amor que en esas ocasiones desbordaba la plenitud de los primeros tiempos y aun superaba los espectaculares paraísos que había construido en las quimeras de la añoranza. Hasta tal punto que muchas veces se preguntaba si lo hacía realmente empujado por la incertidumbre o bien para espolear, con el sufrimiento que provoca la traición, la posterior reconquista y la concordia que no hacían sino acrecentar su vehemencia cuando ella le convencía una vez más de que había renunciado a todo por compartir su vida miserable.

Entonces enardecidos por estar de nuevo juntos salían a la calle y acababan con el presupuesto que tan concienzudamente habían planeado para que les alcanzara el dinero hasta fin de mes. La llegada de Andrea no había mejorado la situación y por más que él trabajaba en todo lo que encontraba y durante semanas no llegaba a casa más que a dormir, a caer rendido a su lado para levantarse al alba otra vez, pronto terminaron con los ahorros de ella reservando por intocables la suma de los billetes que iba a necesitar para pasar las vacaciones con los hijos.

Le habría gustado preguntarle por qué su marido no le había dado dinero, ni sus padres, pero no se atrevió y le pareció comprender lo que había ocurrido cuando ella sin más comentario le recordó un día que venía de un país donde todavía el adulterio de una mujer se castigaba con tres años de cárcel y el del hombre con tres meses.

—¿De dónde has sacado eso? —preguntó Martín.

—Así era cuando me fui. Siguen vigentes las leyes de la dictadura y aunque se dice que todo esto va a cambiar con la ley del divorcio, a mí ya no me alcanzará. A fin de cuentas no soy yo la que tiene los hijos.

Y por la indiferencia de su voz al hablar de ellos, que nunca modificó ni dulcificó y en la que jamás dejó un resquicio que diera pábulo a la queja, la nostalgia o la confidencia, le pareció comprender que las cosas efectivamente no habían ocurrido como ella pretendía. Pero de nada sirvió que indagara directa o indirectamente, nunca supo más de lo que entre sollozos le confió la noche de su llegada.

Lo mismo ocurrió con el trabajo al que apenas se refirió dando por sentado que no le habría sido posible continuar en una empresa que pertenecía en buena parte a Carlos. Había venido con una serie de cartas de recomendación para altos cargos en los periódicos a los que se dirigió en busca de trabajo aunque sin éxito. Una periodista, dijo, tiene poco que hacer en un país de habla distinta y después de varias semanas de visitas infructuosas abandonó el intento. Al principio dedicó las horas a pintar el apartamento y los armarios, luego paseó por la ciudad, incluso fue a un ciclo de conferencias que organizaba un grupo feminista del barrio, pero acabó consumiéndose en casa. Pronto entró en ese estado de ánimo de desgana y aburrimiento, en que no se tiene aliento para descubrir y sucumbir a las grandes tentaciones ni voluntad para resistir a las pequeñas. Así, dormitaba del sofá a la cama alegando males con que justificarse ante sí misma y alternaba los periodos en que no hacía sino comer cacahuetes con los de regímenes brutales para adelgazar los kilos que había engordado. Y durante días enteros ni siquiera se levantaba más que para bajar al buzón a la hora en que se repartía el correo y como no encontraba la carta que esperaba se metía de nuevo en cama con la decepción escrita en el rostro y de un humor que, aparte de Martín, apenas tenía a nadie contra quien descargar.

—Se te va la vida durmiendo, Andrea —le decía él cuando a veces a media mañana volvía a casa a cambiarse o a buscar algo olvidado y la encontraba todavía entre las sábanas, aunque durante los cinco minutos que se acucurraba a su lado no dejaba de pensar que de algún modo ella tenía poco más qué hacer que esperarle como le había ocurrido a él aquel invierno en Barcelona. Y no queriendo atosigarla ni añadir más dolor aún a su cautiverio o a su exilio, confiaba en que todo pasaría un día como había ocurrido con él, y cuando la crisis era más aguda, no bastándole con esa Andrea que a veces le era difícil reconocer, se consolaba soñando con ella, pero no con la de ahora, la que había llegado derrotada y desnuda, sino la suya, la que recobraría un día la audacia y el buen humor, la que él había dejado en Barcelona, y llevado de la inercia de su fantasía llegaba a veces a tal confusión que no habría podido decir cuál de las dos alimentaba a la otra. Al verla ausente, triste y sabiendo que por más que él preguntara permanecería en silencio, dejaba las ganas de insistir para más tarde, para la noche, con la convicción de que en cuanto entrara en el sueño ella habría de escucharle y responderle.

—¿De qué me sirve estar en Nueva York si no tenemos dinero para ir a ninguna parte? —se justificaba ella cuando él le recordaba lo hermosa que era la ciudad a pesar de todo—. Ni siquiera puedo pasear —se lamentaba—, está nevando todo el día.

Y era cierto. Fue un invierno largo y tan frío en Nueva York que cuando salía a la calle las lágrimas se le helaban tras las gafas. Sin embargo así siguió también al llegar la primavera. En verano se fue por un mes a pasar las vacaciones con los niños. Volvió morena y feliz pero la alegría apenas duró unas semanas, y por más que hacía esfuerzos porque ella le hablara no logró arrancarle ni siquiera una confidencia, y por temor a que con su insistencia la hiciera sufrir más, callaba.

Llevaban ya más de un año juntos cuando un día al volver a casa la encontró llorando. Tenía cabellos mojados pegados a la frente y sin haberse acabado de vestir daba bandazos de la pared al sillón. En un traspié cayó sobre él y al colgársele del cuello le llegó una bocanada agria de taberna.

144

—Tengo vértigos —dijo intentando enderezarse y sin poder reprimir los sollozos y los hipos.

—No tienes vértigos, estás borracha.

Fue la primera de una infinidad de veces y aunque con el tiempo el vértigo se hizo crónico y se manifestaba incluso cuando estaba sobria, ya no le fue posible poner en duda que una cosa era resultado de la otra, y cuando ella se agarraba a una barandilla y hacía ese gesto de cerrar los ojos para no ver el abismo que se abría a sus pies lo tomaba como una afrenta, se le nublaba la vista y la inteligencia y de nuevo surgía el resentimiento, porque no podía comprender cómo había dejado todo lo que tenía para venir a Nueva York a convertirse en una alcohólica. Y una vez más se ponía en marcha el mecanismo que ni quería ni podía detener: salía de casa dando un portazo y la llamaba desde una cabina para decirle que no iría a cenar, que necesitaba aire. Y cuando volvía al amanecer sin haber hecho nada por borrar el olor foráneo que desprendían sus manos y su cuerpo, ella le miraba y no veía en su vacilación sino el calor de la cama que acababa de dejar. Y esa visión la cegaba. Se envalentonaba y primero con circunloquios y más tarde directa y brutalmente, le requería a decir la verdad, como el acusador seguro de conocer la culpa del interrogado, con tal ferocidad —más por la ocultación y la contumacia que por la infidelidad, repetía una y otra vez enardeciéndose paulatinamente— que no lograba sino convertir su silencio en una losa.

—Dilo, dilo ya, no te gusto. Sólo te gustan esas imbéciles, esas escuálidas niñas...

¿Cómo iba a decírselo si no era cierto? Y aunque así hubiera sido, ¿cómo iba a decir nada, él que nunca había hablado demasiado y que incluso para decir te quiero en las tardes soleadas del primer verano junto al mar, cuando estaba seguro de que el mundo comenzaba y acababa en ella, no sabía hacer otra cosa que mirarla y escucharla y apretar la mano que había dejado caer y jugaba en el suelo con las piedras?

—Nunca dices nada —le recriminaba ella entonces con una dulzura que no escondía reproche alguno. Y se hacía un ovillo junto a él y él se dejaba envolver por un vaho de ternura y de complicidad que colmaba la totalidad de los sueños y esperanzas que había acumulado desde que tenía uso de razón.

Aquellos ojos dulces se habían transformado en inquisidores a la caza de una culpa que había de darle a ella la razón. Y su risa cantarina se había convertido en una cascada de reproche y de rencor. ¿Dónde había quedado todo aquello? ¿Cuándo se había torcido y por qué? Lo que estaba a favor se había vuelto en contra, lo que habían sido dones se convertía en amenazas. ¿Sería el matrimonio o la vida en común un laboratorio maligno, una alquimia infernal? ¿O un juego a dos bandas que exigía maestría y paciencia para aguardar cada uno su turno? Porque cuando ella se hubiera apaciguado y la viera sumida en la decepción y el dolor, cuando ya no hubiera en sus ojos crispación sino sólo desconcierto, se desmoronaría el reducto de silencio tras el cual se había acorazado y confesaría entonces y la seduciría de nuevo —más enardecido cuanto más ofendida ella, más porfiado cuanto más lejos estuviera de rendirse otra vez.

A los dos años llegó el telegrama y después el contrato y decidieron regresar a España. A partir de aquel momento volvió a cambiar, y durante el resto del tiempo que permanecieron en Nueva York mostró la misma vitalidad que cuando la conoció. No hacía sino pasar de un proyecto a otro y fabular historias y planes para la vida que iban a iniciar en Barcelona, como personas, decía riendo, como lo que somos. Ya no estaba en Nueva York, se había ido y no caminaba por esa ciudad sino por otra, por aquella en la que tenía puesta la mente, el punto donde había situado su futuro y el lugar preciso de la geografía en el que había asentado su esperanza.

Él en cambio procuraba dar a cada uno de sus pasos y de sus miradas la intensidad que fuera a conservar mejor el recuerdo y ordenarlo y darle un nombre para almacenarlo en la memoria y poder disponer de él cuando quisiera. Pero no lo logró. Caminó por las calles y las avenidas envuelto en la nostalgia que habría de sentir al dejarlas pero sólo consiguió teñirlas de tanta melancolía que petrificadas bajo ella se esfumaron como un recuerdo se desvanece suplantado por el siguiente, perdido para siempre el sabor y el olor de estos años tal vez para recordarle que el camino que dejaba a medio recorrer con su partida le sería vedado para siempre.

—No es esto lo que quiero hacer —le había dicho cuando ella levantó triunfante una carta de Leonardus con el proyecto completo y el contrato que, de aceptar, les obligaba a volver.

—¿Qué es lo que quieres hacer? —preguntó ella entre estupefacta y ofendida.

—¡Seis series de televisión en cinco años! Apenas conozco el medio, no he leído los guiones, nunca he dirigido una superproducción. Quiero hacer otras cosas.

—¿Qué cosas? —preguntó incrédula—. Desde que yo estoy aquí no has hecho nada —le recriminó con la misericordiosa crueldad a la que recurren los padres para quienes lo único que importa de sus hijos es el porvenir, cuando quieren convencerles de que el camino que han elegido no conduce a nada. Y por primera vez se dio cuenta de que los diez años que los separaban la situaban a ella en otra generación, en otro punto de vista donde ya no tenían cabida las utopías.

—Lee primero el contrato, aún no sabes lo que te propone —insistió como habría hecho su propia madre.

Leyó el contrato y la carta, y aunque comprendía que Leonardus, o una de sus empresas, nunca le habría ofrecido esas inmejorables condiciones de no haber sido por Andrea, aceptó. Bien es verdad que lo hizo por ella, porque sabía hasta qué punto le pesaba estar lejos de su ciudad y lo duros que se le habían hecho estos dos años que llevaba en Nueva York y quizá llevado también de un sentimiento irracional de deuda que a veces se le hacía insoportable. Y por si fuera poco, era cierto que desde su llegada nada había hecho que le diera fuerza ahora para oponerse a la vuelta. Los trabajos anteriores a su llegada, todo lo que había dejado pendiente, pertenecía en buena parte a un futuro quimérico que se había evaporado como se desvanece un sueño de juventud. Pero sobre todo había transigido porque sabía de antemano que de nada serviría resistirse: la combinación de elementos, acontecimientos y caracteres marcan en los amantes pautas de comportamiento y les adjudican a cada uno un papel muy definido en la relación, y aunque esas circunstancias varían con el tiempo y pueden llegar a ser incluso diametralmente opuestas, en realidad la función que cada uno ejerce en ella, el lugar que ocupa, son inamovibles. Martín seguía sin preguntar apenas y ella, aun sin capacidad para decidir, era quien en último término tomaba las decisiones.

Y sin embargo esas seis series que realizó en los primeros años de su estancia en Barcelona le habían situado en la cima de la profesión, de una cierta profesión al menos, y le habían hecho rico y famoso. De las series se habían hecho películas y de las películas series cortas y se habían traducido todas a decenas de idiomas y se vendían en todos los vídeo clubs de los países más inciertos. Se le requería en coloquios televisivos, en festivales y en conferencias. Y la productora organizaba en los estrenos un despliegue de publicidad con asistencia de todos los medios de comunicación y ciclos culturales que en muchos casos patrocinaba el Ministerio de Cultura, de tal envergadura y con una tal resonancia que sin apenas haber puesto en las obras que dirigía un ápice de su fantasía o imaginación se encontró en la cumbre de la fama de la ciudad y del país, rodeado a todas horas de gentes que no conocía pero que, bien lo sabía, se arrimaban a su sombra mientras la hubiera. Era consciente de que no había adquirido prestigio por la obra hecha sino por el éxito alcanzado, y ese éxito nada tenía que ver con la calidad. Bien lo sabía, el éxito más dinero provoca adulación y aplauso y prestigio también, aunque el prestigio que se desprende únicamente de la calidad no trae más que silencio.

Nunca se lo dijo a Andrea, pero le daba la impresión de que no necesitaban a nadie para esas producciones que venían milimétricamente planificadas, porque el director, él, tenía tan poca libertad de movimientos que bien habría podido dejar que fuera el primer ayudante quien se limitara a seguir al pie de la letra un guión en el que tampoco había intervenido, mientras él tomaba café o se iba a su vez al cine. Y aunque al principio le torturaba no estar haciendo lo que habría querido hacer, muy poco tiempo después ya no fue capaz de recordar, o no quiso, qué era exactamente lo que habría querido hacer y se dejó llevar de la aureola de su propio triunfo, y mecido por la canción de quienes le rodeaban y de la vehemencia y aplauso generales procuró no volver a pensar en ello. Quizás con el propio quehacer ocurra lo mismo que con las arrugas que se profundizan y proliferan al mismo ritmo que aumentan las dioptrías. Y sin embargo, en lo más recóndito de sí mismo, no había abandonado sus sueños, esa forma de dormirse a veces imaginando que había conseguido trabajar sin descanso, como en los tiempos de su primer corto, en una película propia —cuyo guión tenía completamente terminado en su mente y escribiría sin falta un día de éstos— sin directrices ni exigencias, ni personajes de cartón que no comprendía o diálogos absurdos que arrancaban lágrimas en el público, un sueño que había ido transformando con los años, no para acoplarlo a la realidad como hacemos siempre sino por el contrario, poniendo el listón mucho más alto aún, casi inaccesible, como para darse a entender a sí mismo que mejor era soñar porque lo que él quería se había perdido en los recovecos y las brumas de la impotencia.

—Para hacer lo que uno quiere primero hay que disponer del dinero suficiente —le había dicho Andrea—. Es la única forma de no tener que doblegarte a las exigencias de los demás y poder escoger lo que quieras.

Sólo ahora comprendía la falacia de esa afirmación que había servido para que, empujado por ella, aceptara un nuevo contrato de cuatro años al finalizar el primero, y estuviera ahora a punto de firmar el tercero. O tal vez fuera mejor reconocer que no había sabido resistirse al contrato millonario y al éxito que le siguió. O, ¿quién sabe?, quizá había abandonado porque finalmente se había convencido de que carecía de dotes y de talento y de que en realidad la pasión que creía arrastrar desde niño no había sido más que un intento desesperado, la oscura voluntad de escapar a su destino de hormiga.

Pero aun así, ahora, sentado en una piedra en lo alto del promontorio sobre la bocana del puerto de aquella isla embrujada —como habría de repetir muchas veces antes de que todo cuanto había de suceder en ella fuera forzado al olvido—, y quizá por el efecto encadenado de una serie de hechos y rememoraciones absurdos que se habían iniciado con la aparición de la chica del sombrero esa misma mañana tan lejana, se preguntaba qué sentido tenían la inacabable senda de conformismo, facilidad y aburrimiento en la que estaba inmerso y el contrato que iba a firmar por otros seis años que le llevaría a los treinta y ocho, a punto de entrar en la cuarentena, en el umbral de la divisoria a partir de la cual el camino está trazado y no tiene vuelta atrás.

Hay un momento en la creación en que puede desviarse el objetivo primero, es un solo instante de confusión pero basta a veces para cambiar el sentido y desviar la senda iniciada muchos años antes. Si el creador quiere mantener aquel objetivo o si la pulsión tiene más fuerza que la del camino fácil que se le ofrece, seguirá adelante y continuará una búsqueda que no tiene fin. De otro modo, si se confunde y se aferra al pretexto que le justifica ceder a esa tentación es posible que triunfe, pero en ese triunfo habrá encontrado su propio techo y lo que haga a partir de ese momento no será sino una mera repetición de la obra que le colocó frente a la disyuntiva o de la que tenía entre manos cuando sucumbió.

Y eso es lo que le había ocurrido. Podía situar con precisión el momento a partir del cual no había hecho sino rodar sobre sí mismo como un tornillo pasado de rosca. Tal vez por eso mismo apenas habían dejado huella esos años en Barcelona —¿siete años?, ¿cuántos eran?— que permanecían vagamente en su memoria, como los sueños, sin ilación ninguna entre las distintas imágenes que los componen. Y sin embargo habían ocurrido en ese periodo hechos suficientes para definir una biografía completa —desde su propia boda a la muerte de su padre— que ahora sin embargo ya no eran sino chispas de memoria sin contenido apenas que pululaban como plumas y se alejaban casi imperceptiblemente de la conciencia para desaparecer un día fundidas en la amalgama de todo lo que fue alguna vez, como una gota en el inmenso mar de la no existencia.

A partir de que se instalaron en el amplio apartamento en la parte alta de la ciudad que el padre de Andrea le había regalado a su vuelta, vivieron, viajaron y trabajaron con Leonardus. Lo demás eran cenas que ella organizaba para sus antiguos amigos, o para las nuevas amistades que se empeñaba en invitar quizá para recuperar el puesto que tan brillante y despreocupadamente había ocupado antes. Parecía querer demostrar que de hecho seguía siendo la misma y quizá por eso la nueva casa en la ciudad era casi una réplica de la que había conocido Martín, con un poco más de ostentación tal vez, o de cuidado, más escueta, más condensada, como quedan en el escenario los proyectos del autor: el reloj en la chimenea, la disposición de los sillones y sofás, los muebles ante la ventanas sin orden, de forma casual, la sobria combinación de tonos para dar la misma impresión de elegancia despreocupada, la forma de colocar la pieza del escultor de moda sobre una mesa entre muchos otros objetos para quitarle el brillo de la novedad y mostrar su familiaridad con un arte de vanguardia que hace mucho tiempo dejó de sorprender.

Bebía dos copas antes de que llegara la gente, mientras se arreglaba, quizá para no reparar en las negras ojeras que no lograba disimular el maquillaje y en la piel que comenzaba a cuartearse porque había adelgazado tanto que acabaría pareciéndose a su madre, y seguía bebiendo para recuperar la familiaridad distante con que había tratado por igual al mundo entero cuando formaba parte de aquella sociedad que, bien es verdad, un tanto desperdigada y movida por otros usos, había acabado aceptándola otra vez. Desde su llegada se había lanzado a esa imparable vida social y casi no atendía el trabajo a media jornada que había comenzado en un periódico local. Parecía haber perdido interés por la profesión porque jamás hablaba de ella y al cabo de unos meses, pretextando que había de ocuparse de los asuntos de Martín, tan poco atento a esas cosas, y quería acompañarle en sus viajes, y que necesitaba además tiempo libre para visitar a los hijos que ahora vivían en Madrid, donde Carlos ocupaba un alto cargo en el nuevo gobierno de la democracia, dejó el periódico y le dedicó todas las energías. Vivía pendiente únicamente de sus rodajes y desplazamientos, en contacto diario con Leonardus, y con la obsesión de organizar ese torbellino imparable de citas y cenas a las que no quería renunciar pese a las protestas de Martín a quien bastaba y sobraba con los montajes publicitarios de la productora, del progresivo deterioro de su salud y de su humor, y de sus visitas al psiquiatra para encontrar la razón oculta del vértigo que efectivamente en los peores momentos apenas le permitía bajar las escaleras.

Martín sentía curiosidad por conocer qué veredicto había merecido en esas gentes la fuga de Andrea y su reincorporación a la vida ciudadana con el muchacho de Sigüenza que había venido a sustituir al brillante marido de antaño y le habría gustado saber si realmente se preguntaban como él mismo si su éxito fulminante y su fama de joven genial bastaban para representar un papel para el que no tenía ni los atributos ni el carácter ni los conocimientos ni la edad ni el origen. Pero ¿cómo saberlo? De hecho nos morimos sin conocer qué piensan de nosotros los demás, ni acertar nunca a descifrar cómo han interpretado los actos de nuestra existencia, ni sospechar cuál es nuestra imagen oficial, una trama y urdimbre que van tejiendo entre todos hasta cimentar la personalidad inamovible con la que andamos y vivimos y llevamos a cuestas sin saber aun así en qué consiste. En realidad eran todos, y todos fueron durante años, tan extranjeros para él como él para ellos y al no poder hacer otra cosa, ni ser capaz de comunicarse con nadie ni de establecer una relación social por superficial y frívola que fuera, para la que ni había nacido ni estaba dispuesto a hacer más esfuerzo que el de aportar su pasiva asistencia, pululaba por los salones tras los pasos de Andrea, que prodigaba entonces lo mejor de sí misma, feliz de mostrar que contra todos los pronósticos había valido la pena la sustitución y exhibir radiante la situación de prestigio en la que inconcebiblemente Martín la había encumbrado a los pocos meses de su llegada.

Fue por aquella época cuando comenzó a hablar en primera persona del plural. Exponía una opinión como si ella expresara en nombre de los dos la de su joven y famoso acompañante, tan tímido y adusto que por sí mismo nunca se habría atrevido a hacerlo, como una prueba más del entendimiento que había de afianzar el mito de su historia de amor.

Martín entretanto la buscaba entre la gente como la había buscado durante aquel primer año de amores clandestinos en esa misma ciudad que era entonces una promesa, convencido de que de todos modos la complicidad que había de encontrar bastaba para contrarrestar sus recurrentes sospechas y las violentas escenas que precedían a sus reconciliaciones y las lágrimas de ella y sus vértigos de origen oscuro, y al descubrir entre una amalgama de risas y voces y peinados con brillo de navaja su mirada azul que filtraba la ternura o la intención a través de los cristales de sus grandes gafas, se sentía aprisionado por el mismo indestructible vínculo, más fuerte que todos los que se exhibían en aquel salón y en aquella ciudad, tan tiránico como la pasión más perentoria a la que además y sin embargo daba pábulo, y lo único que quería es que las agujas del reloj se precipitaran enloquecidas a dar vueltas sobre sí mismas para que todos se fueran a casa y dejaran el salón desierto y volvieran los dos al reducto de su intimidad donde el deseo se mantenía tan despierto y apremiante como en el tambucho de la *Manuela*.

Nadie nos ama como quisiéramos ser amados, quizá en eso reside la búsqueda inútil.

Pero nada significaban ahora esas fantasías ni los éxitos obtenidos. Nada frente a esa morada donde gravitaba la luna naciente que asomaba por el horizonte, tan exigua como un rasgo o un dibujo y tan pálida que no alcanzaba a iluminar la esfera del reloj, o esa tierra apagada y muda que no veía, o el ruido sordo del mar revolviéndose en sí mismo por falta de aire, por el peso de una temperatura que se había solidificado sobre el balanceo de metal de sus olas escasamente insinuadas. No, no sólo la luna, la tierra, el mar que durante años ignoró sustituyéndolos por lenguajes que a ellos se referían. No sólo ellos, él mismo, su profesión, la mujer que había dejado en el barco retenida por su propia cobardía, el dinero que había de ganar, esos seres extraños que dormirían en el camarote, su propia madre olvidada en su lejana patria.

Un ruido le sobresaltó. Eran voces en algún lugar muy por debajo de donde se encontraba. Se levantó inquieto y con cuidado fue deshaciendo la pendiente. Si me caigo aquí, pensó, nunca me encontrará nadie, y miró el precipicio a sus pies donde, doscientos metros por debajo de él, se encrespaba el rumor del oleaje al chocar contra las rocas. Siguió descendiendo. Se detenía de vez en cuando para escuchar y en los cruces se demoraba y atendía, no fuera a caer sobre los que buscaban al perro en cualquier esquina. Torció a su izquierda y llevado de nuevo por la urgente necesidad de encontrar la cartera anduvo en dirección contraria el recorrido que había hecho una hora antes, pasó ante la parra oscura y silenciosa y descendiendo a trompicones el camino pedregoso llegó a la plaza de la Mezquita. El agua de la bahía seguía inmóvil y el calor era todavía más sofocante, se ahogaba casi. Recorrió la riba bordeada de ruinas hasta llegar a las primeras casitas y se metió en un callejón intentando reconstruir otra vez los pasos de la vieja. Pero con ser tan pocas las calles tras el frontal del mar no logró orientarse y deambuló por ellas empujado por la inquietud, sin saber qué hacer. El aire pesaba como una losa, maulló un gato casi junto a su cabeza, dio un respingo y siguió caminando. Se detuvo al poco porque le pareció que alguien le seguía pero no oyó más que un ronquido apagado que salía del hueco negro de una ventana abierta casi a ras del suelo y se escurría por las paredes pedregosas de la casa. Al poco rato y llevado de la misma obsesión se detuvo de nuevo y esa vez siguieron resonando las pisadas en las losas de la calle. Entonces se quedó inmóvil arrimado a un muro sin osar secarse la frente húmeda por temor a verse descubierto ni saber cómo apaciguar los latidos de su corazón. Un pájaro asustado quizás por ellos o por las pisadas que se alejaban, salió revoloteando de un voladizo y en el silencio de la noche el aleteo se multiplicó como si una bandada de patos se hubiera echado a volar. Sólo deseaba volver al barco. Dio unos pasos casi de puntillas y se apoyó en la esquina de una ruina cuyas aristas había carcomido y resquebrajado el tiempo y esperó encogido sin atreverse a correr hacia el muelle que ni veía ni sabía cómo alcanzar. Ya no se oían los pasos sobre el pavimento, cruzaban a veces la noche sofocante ruidos esporádicos, el ladrido de un perro o la respiración tras una ventana, u otros indefinibles de origen desconocido imposibles de situar o descifrar que crepitan en el material que configura la noche: crujidos en las cuadernas, maderas en los desvanes, puertas en las alcobas.

Se puso en marcha otra vez. Le pareció reconocer una calle desde la cual habría de ser fácil dar con una salida pero volvía a encontrarse en el callejón donde el ronquido seguía su paso hacia el amanecer, y por más que intentaba alejarse acababa siempre en él. A la cuarta o quinta vez, cuando ya la frente le chorreaba sudor y angustia creyó ver una luz en el fondo de una calleja que no había descubierto aún. Chirrió el marco de una ventana y un fulgor, vicario de quién sabe qué otra luz, recorrió el espacio. Se detuvo sin embargo, como si en su entorno vibrara la anticipación de un sonido que no se haría esperar, y de pronto a su espalda estalló una carcajada. Se volvió y allí estaba el hombre, apenas a unos metros de distancia, salido de la oscuridad como un aparecido, con una linterna en la mano. En un instante cruzó su mente la idea de que era él quien había recogido la cartera y venía a ofrecérsela a cambio de dinero y sin pensarlo más sacó un billete de diez dólares del bolsillo y se lo mostró indicándole por señas que le ofrecía un intercambio. El hombre dejó de reír y pareció haber comprendido. Alargó a su vez la mano para recoger el billete y se lo metió en la bolsa que llevaba colgada del hombro. Martín le veía manipular en su interior y mantener firme la linterna al mismo tiempo pero no hizo sino cerrar la bolsa y echarse a reír de nuevo, esta vez con más ganas levantando aún más al cielo su rostro congestionado. Alguien siseó desde una ventana en la oscuridad conminándole a callar y Martín esperó a su

157

lado a que dejara de reír y le devolviera la cartera. Pero el hombre levantó la linterna, le cegó unos instantes, la apagó enseguida dejándole doblemente a oscuras y echó a correr. Martín se lanzó en su persecución cuesta arriba. No podía verle ahora sin luz pero oía el trote unos pasos por delante y al llegar a un camino de pendiente más pronunciada el ruido de las piedras le indicó que seguía tras él. Habían salido a un descampado y el cielo en toda su amplitud brillaba cuajado de estrellas pero él no veía más que la sombra que le precedía, que sin darle apenas tiempo se detuvo súbitamente. Martín fue a echársele encima pero en ese momento se encendió la linterna bajo un rostro torturado y aparecieron encarnizadas por el sesgo de la luz las facciones del hombre tuerto que lanzó a la noche un rugido, ¡aaaahhhh!, levantó la mano para que fuera visible el cuchillo que blandía sobre la cabeza e hizo el gesto de iniciar a su vez la persecución. Martín se volvió y descendió la cuesta dando tumbos hasta la zona de calles silenciosas sin más obsesión que salir de una vez al muelle y saltar a bordo. Tras él los pasos y el rugido con que el hombre acompañaba el rastreo le parecían más cercanos cada vez. Pero hasta que encontrara la salida recorría las callejas volviendo siempre al mismo lugar con la intención de despistar a su perseguidor y dejarlo en una esquina cuando, más por agotamiento que por saber si aún le seguía, se metió en el quicio de un portalón y se arrebujó en él ahogando la respiración. No se oía nada. La calle se había ensanchado un poco y formaba una plazoleta cerrada por el muro medio derruido de una iglesia que cobijaba a media altura la imagen de una virgen blanca. Cascotes y ruina que nadie había retirado se habían amalgamado con el tiempo hasta formar un monumento de huecos, protuberancias y sombras que temblaban al soplo apacible de la llama de la hornacina.

De algún lugar se desprendió una piedra que rodó dando tumbos y fue a caer a sus pies. Martín se arrimó más aún al portal y permaneció inmóvil escrutando en el silencio una señal que le dijera de dónde venía el peligro. La camisa empapada le ardía sobre la piel y el aire enrarecido de ese ámbito cerrado, cargado de olores densos a sustancias indefinibles, lo mismo podía venir del acre olor de la leche que de un montón de mondas de fruta y legumbres que hubieran iniciado el proceso de putrefacción, apenas le dejaba respirar. Apoyó la cabeza en la puerta y cerró los ojos sin dejar de jadear. De pronto oyó los pasos precipitados que se acercaban, pero antes de que hubiera decidido por dónde huir, rechinaron los goznes de la puerta y apenas tuvo tiempo de comprender que una mano le agarraba por el brazo y de un tirón lo entraba en la casa. Volvieron a rechinar los goznes y al golpe seco siguió la oscuridad y el frescor de un interior de muros espesos. Sin saber por qué se sintió seguro. Se dejó llevar de la mano que le asía hasta que otra mano abrió una puerta y entraron en una habitación. Chasqueó el interruptor y se encendió en el techo una bombilla macilenta. La mujer era casi tan alta como él y tenía una frente desmesurada y unos grandes ojos negros. A todas luces se acababa de levantar de la cama porque se había echado sobre los hombros una pañoleta floreada que apenas le cubría la enagua negra. Estaba despeinada y le miraba sin sonreír. Ni siquiera sintió curiosidad cuando comenzó a hablar y como no entendía lo que ella le decía permaneció en silencio. Tampoco reaccionó al notar el contacto de la mano sudorosa que resbalaba por la piel de su cuello, y cuando murmurando palabras incomprensibles le arrastró hacia la ventana la dejó hacer. Se asomó sin embargo, no con miedo ahora sino por saber si todavía merodeaba por allí el hombre tuerto, pero sólo rasgaban brevemente el aire aquellos amagos de ronquidos y movimientos inquietos de los mismos invisibles durmientes tras las ventanas abiertas. Ella le tomó de la mano y le llevó a la cama cálida aún.

Antes de recostar la cabeza en la persistente oquedad del gran almohadón blanco, sacó un billete del bolsillo, lo dejó sobre la mesa de noche y con gestos le indicó que quería dormir. Pero ella no le comprendió o no pareció hacerle caso; torció los labios con indiferencia, tomó el billete, lo guardó en el cajón de la mesita y se tumbó a su lado sin apagar la luz del techo.

De esa noche y del tiempo que permaneció en esa casa había de recordar poco más que el inmisericorde y metálico gemido de los muelles del somier y los grandes ojos de la mujer, que permanecieron fijos en los suyos hasta que, agotado ya, los cerró. Debió de echar entonces una cabezada porque cuando los abrió de nuevo apenas pudo reconocer el escenario. Apartó a la mujer que yacía a su lado y se levantó. Ella se sentó a los pies de la cama y comenzó a gesticular, y él al verla abrir y cerrar la boca, aunque era consciente de que estaba hablando, incluso gritando, no le oía la voz, como si sólo estuviera en ese lugar con parte de sus sentidos y otra parte hubiera salido de la casa para abrirle el camino. Tenía mechones de pelo negro pegados a la frente y la combinación que le estrangulaba las axilas mostraba un cuerpo que parecía ensamblar las mitades de dos personas distintas. Y pensó aún con una cierta ternura: nunca he visto un ser tan extraño. Dejó unos dólares más sobre la mesa y la expresión de la mujer se dulcificó: siguió hablando pero ya no tenía esas líneas largas y profundas que un momento antes le cruzaban el rostro. Con ambas manos se echó hacia abajo la combinación que apenas se movió y el pelo de la frente hacia atrás, cogió la pañoleta del suelo y se cubrió con ella recomponiendo la imagen que, sin embargo, no adquirió significado. Él fue hacia la puerta pero ella le detuvo y le abrió el camino hasta el portalón por el pasillo oscuro. Oyó chirriar de nuevo los goznes y salió a la calle, que no logró aligerar el peso y el calor que tenía pegado a la piel.

Esta vez no le costó encontrar el muelle siguiendo la calleja estrecha a su izquierda que la mujer le había señalado. El calor no había amainado y pensó que al llegar al mar correría el aire pero el agua seguía espesa, viscosa y negra como aceite y tan inmóvil que sobre ella el *Albatros* se desdoblaba y se reproducía en una sombra igual a sí mismo. Hacía horas que debían de haberse apagado las luces del café de Giorgios y no había más que una bombilla colgada de un alambre frente al estanco del otro lado de la plaza.

Bajo la escueta luz del palo mayor advirtió a Andrea acucurrada y envuelta en sí misma, que con un gesto de frío impensable bajo aquel bochorno pegajoso se protegía las rodillas en un abrazo como si quisiera abarcar su cuerpo entero. Así ovillada parecía todavía una niña aterrada y confundida que no se atreve a moverse a sabiendas del castigo que le espera. Y por primera vez en su vida dominó el impulso de correr hacia ella, como tantas otras veces, armado con el ultraje de su inútil traición que habría de recomenzar —o quizá sólo continuar— ese ciclo sin fin que se alimentaba en sí mismo.

Confundido al comprobar finalmente el exiguo ámbito al que había quedado reducida su querencia, tan evidente por primera vez como que ese atisbo de luz opaca que asomaba tímidamente por el horizonte habría de confundirse dentro de poco con el amanecer, se sentó en el suelo del muelle a una cierta distancia del *Albatros* con las piernas colgando sobre el agua. Lucharon en vano por brotar las lágrimas de algún lugar recóndito y oscuro de sí mismo y sólo un velo húmedo se posó en las pupilas sin caer ni resbalar, cegándolas. Habría querido llorar por sí mismo y por ella, por su transformación, por su complicidad convertida en encadenamiento, por el infierno de añoranza de lo que había dejado de ser, o por la felicidad pretérita que de un modo u otro se las arregla siempre por esfumarse y desaparecer.

No comprendía aún cabalmente lo que le había ocurrido, qué extraño camino había recorrido esa noche ni a dónde le llevaría, pero angustiado por la clarividencia con que se le presentaba esa convicción presionándole con una exigencia ineludible que no sabía de dónde procedía, vislumbró en un instante la carrera de escollos y tropiezos a los que tendría que hacer frente. Y de repente le invadió una pereza infinita que le dejó el alma vacía y hambrienta de un descanso y una paz que, comprendió, no había de encontrar en mucho tiempo.

Cantó el gallo desafinando en el bochorno, asomó la primera luz en el horizonte, el chasquido de un motor alejó una barca todavía invisible, en el aire temblaba la asfixia como las ondas del lago al echarle una piedra y la luna de papel se escondía tras la roca.

Se levantó y cansinamente se dirigió al *Albatros*, sin temor a pasos ni gritos ni crujidos ni risas. Tom había retirado la pasarela, así que cobró el cabo de popa y al tiempo que lo soltaba dio un gran salto hasta cubierta. El barco se balanceó y Andrea levantó la cabeza. Al pasar por su lado le revolvió brevemente el cabello ensortijado sin mirarla ni querer percatarse de que ese gesto tan inofensivo había teñido sus ojos con el brillo de la humillación y el despecho. Sin detenerse se dirigió a las escalerillas, bajó a la cabina, abrió la nevera, bebió agua y se metió silenciosamente en el camarote cerrando la puerta sin hacer ruido.

Se quitó la camisa y los zapatos y se tumbó en la cama a oscuras. No reparó en el calor sofocante del camarote y cerró los ojos cansados y doloridos por las lágrimas que no habían podido brotar. Y en la oscuridad violeta de los párpados apareció entonces la gran mancha de su vestido blanco envolviendo la figura vencida, la cabeza coronada de largos rizos menudos y tercos cuyo volumen había multiplicado la pegajosa humedad de una noche a la serena, y el profundo reproche de su mirada.

Azul, como el azul del mar al atardecer, como la hora azul del crepúsculo o las sombras superpuestas de los telones de la Capadocia frente al sol; azul como la brisa que cae sobre la tierra cuando entra el viento de mar por el horizonte, azul como el descanso, como las fuentes, como las sábanas frescas, azul como la luz del alba, como las velas al viento, como los ojos azules de las muchachas en flor. Y sin embargo.

VI

Se abrió la puerta de golpe y Andrea encendió la luz. Había dejado caer las gafas sobre el cuello y los surcos de la cara se le habían acentuado por el cansancio y la vigilia. De pie en el quicio de la puerta abierta, era evidente que no venía en son de paz:

—¿No vas a decirme dónde has estado?

Cantó de nuevo el gallo en cuatro notas agudas que terminaron en un chirrido y en la lejanía las explosiones de un motor rompieron el silencio del alba.

—Te he esperado durante toda la noche —añadió.

—No debías haberlo hecho. —Martín se desperezó y desvió la pantalla hacia el techo. El camarote quedó a media luz—. Ven a dormir —dijo suavemente—. Es tarde —añadió y sin incorporarse alargó el brazo hacia ella

—Sé lo tarde que es, te he estado esperando.

164

Hubo un silencio.

—¿No me has oído? ¿Qué estuviste haciendo?

Martín hizo un gesto de cansancio: —¿Qué más da lo que hiciera?

—Tengo derecho a saberlo, ¿no?

—¿Para qué? —preguntó sin demasiado interés.

—Soy tu mujer, ¿lo has olvidado? —Cerró la puerta y se sentó en la cama. Estaba crispada y no tenía intención ninguna de dormir.

—No, no lo he olvidado —repuso aunque apenas recordaba el paso por el juzgado, casi recién llegados de Nueva York, sin más testigos que Leonardus, pocos meses después de promulgarse la ley de divorcio. Sí tenía memoria en cambio de su repentina insistencia y de la prisa con que organizó la escueta ceremonia aunque nunca hasta entonces la había preocupado, y sólo más tarde comprendió que tanta premura bien podía tener por objeto llevarle la delantera a Carlos que después de haber acabado con los trámites del divorcio había anunciado por sorpresa su propia boda para fin de año.

Andrea esperaba aún a que él hablara. Pero él no dijo más que: —Tengo sueño —y alargó el brazo para apagar la luz.

—No —gritó ella y saltó sobre la cama para impedirlo. Tenía la cara congestionada de encono y sudor. El aire del camarote era sofocante.

—Entonces voy a poner el ventilador —dijo Martín pacientemente. Buscó el interruptor bajo el cristal de la escotilla y lo puso en marcha. Un rítmico zumbido llenó el camarote.

—Apaga esto —chilló ella.

Él alargó el brazo de nuevo, volvió a darle al interruptor y cruzó las manos sobre la cintura. Cerró los ojos y pensó: cuando muera me pondrán en esta posición.

—No me estás escuchando —dijo Andrea—. Nunca lo haces, te refugias en ti mismo, no hablas, no dejas un resquicio donde yo pueda entrar. Desde tu torre altiva permaneces al margen de todo y actúas sin saber ni el daño que haces ni a qué se deben las lágrimas que provoca.

¿Cómo podría saberlo? ¿Cómo podía comprender, si ella no se lo explicaba, aquel llanto incontrolado con el que había llegado a Nueva York para quedarse con él? ¿Cómo podía dejar de dar importancia a unas lágrimas que por sí solas desmentían el propósito de su presencia allí? Durante semanas enteras estuvo llorando sin que lograra calmarse más que de vez en cuando, cuando él o quizás los dos, tomando como modelo lo que habían sido, se acercaban temblando el uno al otro para convencerse de que los mismos síntomas ocultan iguales pasiones. Y siguió llorando a veces a escondidas, otras repentinamente sin motivo alguno durante días, años, hasta ahora incluso, como si todo ese llanto que había ido cediendo en frecuencia e intensidad, sustituido paulatinamente por extrañas enfermedades o indescifrables dolencias que aparecían con fuerza incontenible y desaparecían suplantadas por nuevos síntomas, vértigos, jaquecas, dolores en la espalda, cansancios tan persistentes que la obligaban a guardar cama y a permanecer días enteros a oscuras, no fueran sino una vena, un manantial de dolor inagotable cuyo origen y persistencia no acertaba a comprender.

Cerró los ojos.

—No te duermas —levantó la voz ella zarandeándole.

Él recompuso la posición y le dijo:

—No chilles, vas a alertar a los demás —y torció la cabeza en dirección al camarote contiguo.

—¿Qué me importa a mí que despierten? ¿O crees que no saben que has estado toda la noche fuera?

Un soplo de aire truncado o una ola que se desplazaba desde mar abierto producida tal vez por una embarcación que salía a la pesca, chocó contra el casco del barco y les procuró el anticipo de una brisa que no había de llegar.

—Ven a dormir. Mañana hablaremos. Estoy cansado.

—Y mañana con cualquier pretexto tampoco hablarás.

—Mañana sí —dijo—, mañana te lo contaré todo.

—Mañana —repitió ella con sorna—, mañana. No has hablado en toda la tarde, ni en toda la cena, pero mañana sí.

—Nunca hablo mucho, ya lo sabes.

Se hizo de nuevo el silencio.

Andrea se echó el pelo hacia atrás y alargó el brazo para tomar del estante la botella de whisky, que destapó y se llevó a la boca con un gesto voluntariamente desgarrado.

—¿Qué es lo que te ocurre? —dijo persiguiendo con el reverso de la mano las gotas que se escurrían por la barbilla—. ¿Estás harto del barco? —Y sin esperar respuesta—: Ya falta poco, en cuanto traigan la pieza mañana, zarpamos. Tienes otro contrato mejor incluso que los anteriores, ésa es la verdad. Mira la parte buena. Yo se la veo a lo tuyo, ¿no?

—¿Qué es lo mío?

—Todo.

—¿Qué quiere decir todo?

—Desde que te conozco no he hecho más que lo que tú querías.

Martín no respondió, ni la miró siquiera.

—¿No me ocupo de tus asuntos? ¿No veo una y otra vez los copiones? ¿No he viajado por tus tierras?

—De eso hace mucho tiempo. Creí que te gustaba.

—Pues no me gusta, no me gustaba.

Lo dijo por herir, él lo sabía. Estaba en uno de esos momentos de furia contenida en los que no se dejaba llevar de la ira y medía las palabras para llegar más allá del insulto: la deserción de una memoria común, la retirada unilateral del recuerdo. No, no podía haber sido todo una mentira, lo sabía, ni siquiera una concesión. Y sin embargo ella negaría ahora incluso el temblor de las hojas de los altísimos chopos que descubrió una tarde tumbada en el suelo con la cabeza apoyada en sus rodillas. Fue un plácido día de verano. Bajo el diáfano e inmóvil cielo azul de Castilla, mientras la brisa oreaba las lomas doradas salpicadas de pacas se le había desvelado —de esos descubrimientos se nutre el amor, dijo entonces— una forma de mirar, de entender, de desentrañar el paisaje, casi de tragarlo y comulgarlo, tan distinta a la indiferencia o la pasividad con que hasta ese momento había asistido a la naturaleza. Yo soy urbana, repetía enardecida cuando la conoció, soy de ciudad. Y añadía: El amor a la naturaleza es de inmovilistas y reaccionarios, una frase que quizá había oído repetir a su marido con una intención polémica que a ella se le escapaba, pero lo decía de una forma tan personal que nadie le exigió nunca una explicación, ni se la acusó jamás de repetir lo que oía porque, decían, era lógico que compartiera con él sus ideas y creencias, ¿qué había de malo en que por su talante apasionado las vociferara con mayor entusiasmo y aplomo aun no siendo suyas? ¿Qué mujer casada con un hombre importante no lo hace?

Como si quisiera ella también recuperar la calma repetía cansinamente:

—Ya falta poco, ya falta poco —y añadió en un susurro—: Todo volverá a ser igual.

—No —dijo Martín—, nada volverá a serlo.

—¿Qué es lo que ha de cambiar? Y ¿por qué? ¿Qué ha ocurrido? ¿Crees que no me doy cuenta de que esas ganas de aire que te han tenido ausente tantas horas me atañen más incluso que a ti? Quiero saber qué ocurre. Necesito saberlo, ¿me oyes?

Martín no respondió.

—Te estoy hablando.

—Perdona —dijo.

—Perdona nada. Escúchame, o habla. No me tortures de este modo. No lo merezco, bien lo sabes —el tono de voz se había dulcificado quizá al añadir—: Todo lo dejé por ti, todo. —Y se cubrió el rostro con las manos como si no pudiera soportar la visión de tan gran error.

—No debías haberlo hecho —dijo con resquemor, y cuando ya se había perdido el eco de la frase, que ella pareció no oír, añadió para teñir de intención lo que acababa de decir—: Yo no te pedí que lo hicieras.

—Esto no es cierto —respondió casi sin darle tiempo a terminar, olvidándose del dolor—, me lo suplicaste un millón de veces, incluso llorando.

—Tienes razón —admitió—, tienes razón, pero ahora ya no tiene sentido. Olvida lo que dije y lo que no dije. —La miró un momento casi con indiferencia, como se mira la torpeza que acaba de cometer junto a nosotros un extraño y pensó, tengo ahora que deshacer el entuerto, no éste, ni el de la noche, sino de toda la vida. Pero le vencía el sueño y el cansancio y para que todo acabara de una vez y le fuera permitido dormir, con la decisión y procacidad y audacia y temeridad del tímido que para una vez que habla se cree con derecho a decirlo todo, susurró—: Es que no te quiero.

Pero no consiguió el efecto deseado. Andrea sonrió irónicamente como ante una persona que no hace más que contradecirse a todas horas.

—¿Ah no? —y había audacia en su voz—. ¿Ahora te enteras? —y levantó la cabeza para comprobar cómo él mismo negaba ahora lo que acababa de decir.

—Quiero irme —dijo acorralado—. Quiero irme y me iré.

—Muchas veces te has ido y siempre has vuelto.

—Esta vez ya no será así. No volveré a tu lado. —Y más para sí mismo que para ella añadió—: No, no te quiero, quizá nunca te he querido. Hace tiempo que debería haberlo sabido.

—¿Cuándo tengo que creerte, antes o ahora? ¿Cuál es la verdad, la de anoche o la de ahora? —Se había refugiado en la indiferencia y la ironía.

—Tienes que creerme ahora. Ahora lo sé. Antes no hacía sino desearlo.

—¿Entonces te has equivocado?

—Sí, me he equivocado en todo. No sólo en ti. Tú no eres más que una pequeña parte. La más pequeña. —Y eso que quería quitar hierro a la brutalidad de la declaración, ella lo tomó como el único e injustificado insulto. De nuevo se cubrió la cara con las manos pero casi al instante levantó de una sacudida la cabeza y con el gesto de la mano que Martín conocía tan bien intentó lanzar hacia atrás ese cabello rizado que se resistía siempre a obedecer, aunque con mayor furia esta vez, como si le echara una cornada al mundo entero, y estalló:

—¿Y pretendes hacerme creer que el calor de esta isla maldita te ha abierto los ojos, que éste es tu camino de Damasco y que la revelación es tan brutal que has de echar por la borda todo lo que hemos vivido y negar los pasos que hemos dado por estar juntos? ¿Por esta maldita isla?

Así era. Martín pensó en ayer y en anteayer y en todas las noches de este viaje que había tenido finalmente un sesgo tan inesperado: todo lo que no había querido pensar en esos diez años había aflorado ahora con mayor ímpetu, a borbotones, de forma desordenada pero dejando al descubierto la única e inesperada verdad, como se precipita el agua de una presa al abrirse las compuertas para mostrar en un solo instante la fuerza de su caudal.

No contestó y apartó de ella los ojos para no soportar la llamada de auxilio que a todas luces no podía dar.

—¿Qué ha ocurrido? Dímelo, podré entenderlo —con la esperanza ahora en sus pupilas azules—. Por favor, te lo suplico. Dime qué ocurre. ¿Qué es lo que he hecho? —le había cogido una de las manos que sostenía sobre la cintura y lentamente la besó comenzando por la uña del dedo meñique y siguiendo uno a uno los demás dedos.

Tampoco respondió ahora y la dejó hacer, parapetado en la convicción de que si resistía todo acabaría por sí mismo. Pero al cabo de un momento se dio cuenta de que no tenía más deseo que dormir, simplemente dormir, y vencido por la urgencia de acabar de una vez, o envalentonado quizá por la repentina sumisión de ella, le dijo: —Voy a pedir el divorcio.

—¿Y yo? ¿Has pensado en mí? —no había soltado su mano que, como si fuera de trapo, utilizaba ahora para secar las lágrimas—. Me condenas a la soledad por seguir quién sabe qué escondido impulso que no quieres desvelar. —Se detuvo un instante—. ¿Sabes lo que es la soledad? ¿Has estado alguna vez solo? No, ya veo, tú no conoces eso, todavía no te ha llegado. La soledad es la convicción, la absoluta seguridad de no existir para nadie. —Y apenas pudo acabar. Se cubrió la boca con la mano de él y lentamente comenzó a sollozar.

—No llores —y le alcanzó un pañuelo con la mano que tenía libre.

Quizá fue en ese momento cuando ella vio la mancha de la herida y los pantalones sucios.

Dejó de llorar y frunciendo el entrecejo preguntó:

—¿Qué te has hecho? ¿Dónde te has metido? Tienes sangre.

—No es nada, olvídalo, me caí en un acantilado.

Hubo una tregua. Andrea acarició la herida sobre el pañuelo pero insistió:

—Dime la verdad, por una vez —suplicó. Y añadió una vez más—: Odio la mentira, la falsedad, ya lo sabes. Dime qué ha ocurrido, por favor.

—Te lo he dicho, quiero irme —y no añadió más porque se daba cuenta de que su fortaleza residía en el silencio o por lo menos, en el laconismo.

—Claro, ahora ya no me necesitas —se envalentonó Andrea.

¡Oh Dios! ¿Qué más iba a intentar? ¿Por qué no aceptaba la única explicación?

—No digas bobadas —retiró la mano de las suyas, la puso con la otra debajo de su cabeza a modo de almohada y cerró los ojos en un gesto de infinita paciencia.

—No te gusto ya —dijo entonces ella y calló esperando a que él lo negara. Pero él ni habló ni se movió.

Y sólo al cabo de un momento, demasiado temerosa de que si no hacía ella el esfuerzo él no lo iba a hacer, alargó la mano y la puso sobre la mejilla de él con ternura: —Ya no te gusto —repitió y añadió—: ¿No es así?

Él apartó la mano como si para decir lo que tenía que decir no pudiera admitir contacto alguno:

—No es que no me gustes tú. No me gusto yo cuando estoy contigo.

—Pero ¿por qué? ¿Qué ocurre?

—Sabes bien lo que ocurre —dijo con una cierta indiferencia—. Lo sabes y lo sabes incluso mejor que yo —pero no habría sabido explicarlo. Repitió otra vez—: Quiero irme, tengo que irme —con pesar casi como si alguien le obligara y él se resistiera.

—¿Es por Chiqui? —preguntó como si de repente hubiera encontrado la solución.

—No es por Chiqui —respondió en el tono cansado con que se responde a unos celos injustificados. Sabía por qué lo decía. Con esa machacona precisión en la memoria del celoso que mantiene despierto en la conciencia el indicio descubierto sobre el que elabora y afianza historias hasta encontrar la que le parece que se ajusta a la verdad, tenía todavía presente aquella mirada que no sorprendió por azar sino porque estaba siempre al acecho. Había ocurrido el primer día del viaje o quizá el segundo. Chiqui, que se había tumbado en la proa, se había incorporado con el frasco de crema en la mano. Durante un buen rato estuvo dedicada a untarse las piernas insistiendo al mismo ritmo que el balanceo de su cuerpo. De pronto levantó la cabeza y por encima de las gafas oscuras que le habían resbalado hasta la punta de la nariz sus ojos se encontraron con los de Martín, que había subido a cubierta hacía un momento con un libro y se había sentado en la bañera junto a Tom, y le sostuvo la mirada con aplomo. Martín no llevaba gafas oscuras y aun así resistió sin aliento, y cuando en un gesto casi automático desvió la suya y la desplazó hacia la derecha, donde Andrea se había instalado para desenredar el volantín, se sintió desnudo frente a ella. No podía ver sus ojos porque en ese preciso instante, quizás al levantar levemente la cabeza del hilo que la había tenido obsesionada durante los últimos diez minutos para volverla hacia él, el sol se había reflejado en los cristales de espejo de sus gafas, cegándola. Pero supo que había sorprendido el largo cruce de miradas sostenidas por la contracción apenas insinuada de sus labios y por la forma de abrir la boca expectante como si de un momento a otro hubiera de iniciar una respiración más profunda, un jadeo. Turbado probablemente por el descubrimiento o por el inerte escrutinio al que Chiqui le seguía sometiendo, cuyos ojos, aun sin verlos, sentía fijos en los suyos —y no tanto por la atracción que sentía por ella ni como otras veces por provocar en Andrea una inquietud que a la larga habría de devolvérsela cuanto por el turbulento placer de ser el objeto de una intención desconocida— no reparó hasta mucho después en Leonardus, que había sustituido hacía un momento a Tom en el gobierno del barco y estaba utilizando el poder mágico de sus ojillos para no perderse, ni acusar tampoco, ese juego de miradas e intenciones superpuestas.

—No es por Chiqui —repitió pensando en aquel contacto inicial que tal vez consumido en sí mismo no había vuelto a repetirse—, no es por nadie. Sólo por mí y también por ti. —Desafinó de nuevo el gallo en el amanecer que se había abierto paso en las tinieblas e invadía el mundo. La luz del día que entraba ahora a borbotones por las escotillas sin que pudieran detenerla las exiguas cortinas de lona, ridiculizaba el mortecino resplantor de la pantalla que Martín había desviado hacia el techo—. Es por nosotros, por los dos —insistió. Pero Andrea ya no le oía, se estaba desnudando lentamente sin dejar de mirarle y cuando acabó se tumbó plácidamente a su lado. Pero no le conmovieron ni la mirada prolongada ni la intención, ni siquiera la memoria de todas las veces que ella había actuado del mismo modo cuando desvelaba, recreaba por sí misma, la naturaleza de su intimidad tan profunda que borraba los descalabros de su extraña relación, tan completa que no dejaba lugar para otras voces ni otros ámbitos, tan inexorable que auguraba la perpetuidad de su existencia.

Había llorado y a la luz del día tenía los párpados rojos e hinchados. Pero por primera vez no vio en ellos el brillo que le incitaba a recuperarla una vez más, a convencerla, a reducirla, a hacerle confesar hasta qué punto estaba en sus propias manos y le pertenecía, ocurriera lo que ocurriera, por grande e infame que fuera el ultraje a que la hubiera sometido. Por primera vez no reconoció en ese rostro el de quien todo lo había dejado por seguirle, más bello aún en las líneas de fatiga y dolor, delirio y alcoholismo que él mismo había impreso en sus rasgos sino sólo la cara patética de una mujer que estaba envejeciendo y dejando el alma en el desmesurado esfuerzo de competir consigo misma.

«Todo termina cuando se agota el deseo, no cuando se nubla la esperanza», recordó y la atrajo hacia sí sólo por ver cómo se estremecía, seguro sin embargo de que en un último intento por rendirle iba a fingir una vehemencia que nunca habría podido aflorar espontáneamente ahora, atenazada como estaba por el terror y el orgullo de verse relegada, y porque también ella sabía que esas manos ya no eran las que había visto temblar tantas veces. Y en el juego de simulaciones y distorsiones de un espejo frente a otro reiteraron su doblez hasta el infinito, hasta caer agotados, maltrechos, heridos, ávidos aún y humillados ambos por haber dejado patente ante el otro la futilidad de su inútil pantomima.

El potente silbido de una sirena de una sola nota que se había inmovilizado y horadaba el aire tenía algo extraño, como la insistencia de un cuerno de niebla a pleno sol. Martín abrió los ojos y la memoria dormida aún le lanzó mensajes oscuros e indescifrables que sin embargo le produjeron un dolor agudo y profundo. Alguien había corrido las cortinas y le cegaba la brutalidad de la luz. Debe de ser más de mediodía, pensó. Andrea no estaba y el desorden del camarote, como una imagen de su propio desaliento, le hirió de forma desacostumbrada. Ruidos confusos llegaban del puerto y del muelle y cuando fueron cobrando sentido recordó que hoy llegaba el barco de Rodas, y entre las brumas de sus ansias dormidas dedujo aún: si así es traerá consigo la pieza que esperamos, con un poco de suerte podremos zarpar esta misma tarde y dejaremos la isla de una vez.

Fue al cuarto de baño y no se duchó sino que se

lavó la cara con agua fría porque un papel en el espejo le recordaba que había que ahorrar el agua hasta que el barco pudiera ir a repostar a la manga, en el otro extremo del puerto.

En la cabina no había nadie. Habrían ido a comprar provisiones o a acompañar a Leonardus a llamar por teléfono, como siempre, pensó, nada les gusta más. Subió un par de peldaños de las escaleras de acceso a cubierta y asomó la cabeza. Un destartalado paquebote levantaba sobre el casco pintado de rojo una chimenea obsoleta, demasiado aplastada, con el anagrama blanco y negro de la naviera que aún le mantenía en vida. Había iniciado la maniobra dispuesto a abarloarse en el muelle casi frente al restaurante de Giorgios y dos marineros de opereta, con gorros blancos y jerseys de rayas azules, tenían preparada la pasarela desde la borda. En tierra junto a los dos hombres que esperaban para recoger los cabos, treinta o cuarenta personas permanecían inmóviles observando la lenta maniobra. Giorgios había salido de los confines de su café para llevar al barco un carrito de ruedas con que recoger la mercancía. Detrás de ellos otras personas se acercaban en pequeños grupos. Se movían todos despacio, como si apenas les dejara avanzar el calor suspendido en unos rayos de sol que a fuerza de exhibir su intensidad habían perdido lustre. El mediodía era turbio y pegajoso.

Martín volvió a la cabina, se sirvió una taza de café que encontró aún tibio en un bote sobre el fogón y subió a sentarse en la bañera bajo el toldo.

—Este calor nos matará —dijo en voz alta, pero sabía que no era el calor.

Tras él la voz de Andrea le sobresaltó. —Ven —le dijo—, es verdad, hace calor.

No la había visto cuando se asomó a cubierta ni después, debía de estar tumbada en un sofá de la cabina.

176

—Ven —repitió, y le puso una mano sobre las rodillas—, en el camarote hace más fresco.

Martín, inmóvil, se puso en guardia.

—No, estoy bien aquí —dijo, y esperó su airada reacción.

Pero Andrea no insistió. Pasó frente a él y fue a sentarse sobre el tambucho apenas protegida del sol por el ángulo del toldo que Tom había amarrado en la cornamusa al costado del palo mayor y como si de repente hubiera perdido el interés por él, se dedicó a contemplar el desembarco de gentes y paquetes aunque tenía el gesto despectivo y malhumorado.

En el balcón, el matrimonio había recuperado su lugar porque el sol alto aún en el cielo metálico había iniciado un leve descenso y el alero proyectaba sobre él una franja de sombra. La mujer llevaba la bata de flores y él la chaqueta del pijama. Sentados uno frente a otro seguían en la misma tesitura y posición que el día anterior, con ese talante irritado, cuajado por los años en la expresión y en la insolencia con que mantenían ambos el cuello levantado y la cara en direcciones opuestas evitándose; él con las manos cruzadas sobre la mesa estaba atento al barco de Rodas, ella enfrente sin querer verle pero pendiente de lo que hacía suspiraba de vez en cuando y le miraba de soslayo.

Como nosotros, pensó Martín. Los humanos nos parecemos demasiado.

—¿Hay café hecho? —preguntó Andrea sin levantar la vista.

—Sí, queda un poco.

—¿Puedes traerme una taza?

Martín fue a la cocina, le sirvió una taza, puso una servilleta de papel sobre la bandeja y fue a llevársela. No quería sentarse con ella pero tampoco sabía cómo irse sin provocar una reacción violenta que no deseaba, ni quería de ningún modo iniciar la conversación de la noche anterior. Se quedó de pie apoyado en el palo mayor y pensó que en cuanto se hubiera tomado el café podría irse con el pretexto de llevarse la taza otra vez. Ella le miró y comenzó a beber a pequeños sorbos como si el café estuviera hirviendo.

La aversión se manifiesta a veces imprevisiblemente en minucias que acumulan en sí tanta carga como la de las ocultas razones que la motivan. Andrea terminó el café, se secó los labios con la servilleta de papel, la arrugó y la metió dentro de la taza antes de tendérsela, y sin saber por qué, Martín la odió por esto.

Se fue de nuevo a la cabina, dejó la taza en el fregadero y, como un niño que escapa a la atención del maestro, subió las escaleras procurando no hacer ruido, se deslizó por la bañera y ya iba a saltar a la pasarela cuando oyó los gritos:

—¿No tienes nada que decirme? ¿No decías que hoy me lo contarías todo?

Pero no se volvió, continuó por la pasarela y a toda prisa, sin entretenerse en saber si ella le llamaba, siguió el muelle en dirección contraria a la de la plaza frente a la cual estaba amarrado el barco de Rodas. Caminó deprisa por el malecón que por esa parte se iba reduciendo a medida que desaparecían las construcciones hasta deshacerse en un camino cubierto de ruinas y pedruscos, parcialmente invadido por el mar. No había barcas ni gente y un poco más allá la central eléctrica silenciosa y desierta a esta hora condenaba el paso hacia un promontorio que protegía del viento y cerraba la caleta de aguas mansas y turbias donde flotaban y se pudrían los escombros del albañal. Un pontón amarrado de firme que debía servir de almacén mantenía inmóvil sobre sí una nube de moscas grandes y negruzcas. El puente se había desmoronado parcialmente y los maderos carcomidos y deshechos por la intemperie invadían el sollado entre sacos y cajones. No había más camino que la vuelta, y como no quería volver al barco a quedarse a solas con Andrea o pasar por delante y exponerse a que ella le llamara se sentó en el suelo de modo que desde allí no se le pudiera ver y se entretuvo mirándolo para matar el tiempo. Era un barco muy viejo que debió de haber sido una barcaza de pesca, había perdido hacía mucho la última capa de pintura y rezumaba humedad.

De pronto algo se movió entre los sacos y fue entonces cuando fijándose con mayor atención descubrió un bulto que se desgajaba de aquella extraña amalgama, un hombre enroscado en sí mismo, como el que había visto ayer en el mercado, apoyada la espalda en un cajón y la cabeza doblada sobre el pecho, envuelto en un trapo demasiado pequeño bajo el cual asomaban los pies descalzos: el tuerto. El miedo le paralizó, un miedo que creía haber desterrado después de la persecución, apaciguado quizá por otras angustias y terrores que habían suplantado al tuerto, al perro muerto, a su cartera extraviada, como si pertenecieran al reino de la invención o la pesadilla; pero ahí estaba de nuevo ese miedo confuso a ser descubierto o tal vez a que se hiciera pública esa parte de sí mismo en la que ni él ni nadie había reparado jamás. Se levantó casi de puntillas para no ser visto, a paso ligero recorrió los primeros metros y una vez alejado de aquella rada hedionda se puso a correr y no se detuvo hasta llegar al *Albatros*, el único lugar que le ofrecía protección. Saltó a la pasarela sin preocuparse de quién había a bordo, se metió en su camarote, corrió las cortinas de la escotilla, se tumbó en la litera revuelta y se cubrió la cara con la almohada. Sólo quería que pasara el tiempo y que el *Albatros* zarpara de una vez.

Al poco rato oyó pasos en cubierta y voces, y el motor de una barca que se acercaba por la proa. La voz de Pepone que daba instrucciones a Andrea para ayudarle a saltar. Leonardus llamándole, Martín, sal del camarote de una vez. Y la de Chiqui, no seas perezoso, Martín, anda ven, vamos a la cueva azul, llevamos comida y vino. Date prisa.

Habría querido no responder, quedarse encerrado hasta la hora de zarpar, pero de todos modos le descubrirían y le forzarían a ir y, sin pretexto para negarse a una insistencia contra la que nada podría, salió a cubierta y se descolgó por la borda hasta poner los pies en la barca.

Tom y los dos mecánicos llegaban a bordo en aquel momento cargados con las cajas de herramientas y mucho antes de que Pepone se alejara, ellos ya habían comenzado a despanzurrar la cubierta para adentrarse en las entrañas del motor.

Miró el reloj y no eran más que las dos de la tarde.

—¿Cuánto tardarán en arreglar la avería? —preguntó a modo de saludo.

—Dos o tres horas —dijo Leonardus—. Entre una cosa y otra no creo que zarpemos antes de las siete o las ocho. Pero podremos llegar a Antalya y tomar el taxi que nos estará esperando con tiempo para llegar a Marmaris aunque sea sin dormir, embarcar en el primer avión a Estambul y no perder la conexión de Barcelona ni de Londres.

—No tengas tanta prisa —le dijo Andrea que se había sentado a su lado—. Todavía no has salido de la isla y aún pueden ocurrir muchas cosas.

La oyó perfectamente aunque le hizo un gesto dándole a entender que las explosiones del motor habían borrado sus palabras. Andrea le respondió con una mueca de incredulidad, se embutió el sombrero hasta las cejas y se volvió hacia Pepone, que mientras se separaba del *Albatros* y enfilaba hacia la salida del puerto, proclamaba a voz en grito las aventuras por las que había pasado el pueblo aquella noche.

180

—Fue la vieja —bramaba—, encontraron al perro muerto en una de las calles de la colina frente a la huerta donde ella va todas las tardes a recoger hierbas para sus remedios y ungüentos. Y no lo ha negado. De hecho ni siquiera ha respondido a las acusaciones del Pope, ni siquiera ha dicho con qué se había manchado la saya de sangre.

El tuerto no ha hablado, pensó Martín. Nos iremos y se habrá terminado. ¿Qué pueden hacerle a la vieja? Y aunque le hagan ¿qué puede importarle?, apenas se entera de nada.

—Si no la encierran por eso será por otra cosa. Hace tiempo que la andan buscando —seguía Pepone—. De hecho no le hace daño a nadie, pero el Pope le tiene ojeriza. De todo lo que ocurre en el pueblo tiene la culpa ella. —Con una patada volvió a su sitio la tapa del motor que el traqueteo había desplazado y continuó—: A poco la matan ayer. Primero la siguieron en sus correrías y luego abandonaron, pero cuando pasada la medianoche los soldados encontraron el perro muerto a golpes de piedra, se reunió un grupo más numeroso esta vez y comenzaron a buscarla como si fueran de caza. La encontraron casi al amanecer, acucurrada bajo un cimborrio caído en las ruinas del antiguo monasterio. Lloraba sin dejar de canturrear y se secaba las lágrimas con la saya. Dos mujeres la cogieron y la sacaron de allí a empujones y ella, entumecida quizá del tiempo que había pasado en esa postura, no se tuvo de pie y cayó en medio del corro que se había formado. La gente comenzó a gritarle y alguien le dio un golpe con un palo. Enardecidos por ello o quizá porque en este pueblo nunca ocurre nada que nos saque del sopor y del aburrimiento, una de las mujeres se lanzó sobre ella: bruja, la llamó, bruja más que bruja. Los demás gritaban también y un hombre, el del estanco, le tiró una piedra. En aquel momento llegó el cabo, el jefe del destacamento, y la emprendió a golpes contra la gente que en un minuto se dispersó. Si no, la matan.

—¿Tú estabas allí? —preguntó Leonardus.

—Claro que estaba allí, por eso lo sé. Pero yo no le eché piedras a la vieja. No tengo nada contra ella, la he visto ronronear y deambular por las calles y hurgar en las pilas de basuras durante años. No le hace mal a nadie.

Se caló la gorra y continuó: —Se la llevaron al cuartelillo y por lo menos una noche en su vida habrá dormido bajo techo. Aunque no duerme. Dicen que ha estado de pie todo el tiempo y que no ha parado de cantar y llorar.

—¿Qué le ocurrirá ahora? —preguntó Chiqui aunque no esperó la respuesta para ir a tumbarse sobre el exiguo sector de la cubierta que quedaba libre en la proa y untarse con aceite y tomar el sol.

—Dicen que el Pope la juzgará y que aprovecharán para meterla en la cárcel porque por ahí no puede andar más. Es muy vieja ya, quién sabe los años que tiene y lleva más de cuarenta buscando a sus hijos. Por eso lloraba, dicen, porque no la dejaban seguir buscando.

Hasta la hora de cenar no se volvió a hablar de la vieja. Fue el propio Giorgios quien lo hizo aunque poco más pudo añadir a la versión de Pepone. Había más gente en el restaurante esta noche, se habían encendido dos bombillas verdes en el emparrado de hojas de viña virgen y la animación parecía mayor por las voces de los marineros desde la cubierta del barco de Rodas. No eran más de las ocho pero era ya noche cerrada.

Habían vuelto tarde de la cueva azul entretenidos con las historias fantasmales de Pepone y por ese baño que quiso darse a pesar de todo Chiqui en el agua fría del interior de la cueva, pero el repentino y precoz ocaso del final del verano no les había sorprendido más que cuando ya se dirigían a cenar al

182

Giorgios. Les había dado tiempo aún de desembarcar con luz de día, saltar al *Albatros*, recorrer la cubierta esquivando las manchas de grasa que habían dejado los mecánicos y sentarse en la bañera a tomar una copa antes de anochecer.

Andrea se había quedado a bordo y Martín, que habría querido hacer lo mismo, apenas podía atender a lo que se hablaba. Y cuando media hora después apareció Tom y les dijo que todo estaba a punto y en orden para zarpar dejó el postre de yogur a la mitad y tampoco esperó a que hubiera terminado de cenar Chiqui para levantarse, ni hizo caso de los gritos de Leonardus que había perdido de repente la prisa y quería abrir otra botella de vino. Se fue con Tom al *Albatros* a esperar. Los diez minutos que tardaron Chiqui y Leonardus en regresar se le hicieron interminables, aunque no dio muestras de impaciencia por eso ni por la lentitud con que se llevaban a cabo las últimas diligencias y pagos y despedidas. Hizo esfuerzos por no consumirse ni oír esa voz de la mala suerte murmurando en su oído que todo puede ocurrir aún en el último instante. Y cuando finalmente Pepone desde el muelle soltó las amarras y el ruido de la cadena por la proa le indicó que podía dejar de mirar la calleja por la que toda la noche había esperado que apareciera el Pope o el cabo o tal vez el tuerto con su cartera porque el *Albatros* se iba separando de tierra, apenas encontró alivio a su inquietud.

VII

«Verrà la morte
e abrà i tuoi occhi»

CESARE PAVESE

Contrariamente a la actitud distante y decidida
que se había prometido mantener y que había adoptado desde la noche anterior y durante todo el día, y
tal vez movido por un temor o una premonición que
no lo habían abandonado desde que Andrea apareciera en cubierta por la tarde vestida y maquillada,
o antes quizá, cuando en la cueva azul había pronunciado aquellas enigmáticas palabras, asomó la
cabeza por la escotilla. El *Albatros* casi sin balan-
cearse se abría paso en la noche sobre la leve ondu-
lación de las aguas en alta mar. La calma era completa, lejanas estrellas deslumbradas por la exigua
luz que temblaba en lo alto del palo mayor no hacían sino incrementar la inmensidad de su distancia. La trepidación continua del motor engullía el
rumor de las olas y el batir del aire sobre la arbola-
dura, y la monotonía de su ritmo dibujaba una línea
recta en la interminable tiniebla del mar. Martín sa-

bía dónde estaba Andrea pero tuvo que acomodar la vista para descubrirla en la proa, arrebujada en sí misma, cubiertas las piernas con un mantón. Ella sí podría haberle visto porque llevaba en la misma posición y en el mismo lugar desde antes de la cena y sus ojos se habrían ido habituando a la paulatina penumbra y a la oscuridad, y finalmente a la apocada claridad de la noche, pero no levantó la mirada ni se movió. Tenía la cabeza baja y al cruzarse la luz con su rostro en un vaivén inesperado vio en su mejilla un reguero de lágrimas brillante, aunque seco como el rastro que dejan tras de sí los caracoles.

—Andrea, ven a dormir. Es tarde —dijo en un susurro.

Estaba seguro de que le había oído pero por si el motor hubiera apagado sus palabras repitió con más fuerza: —Andrea, anda ven.

Más que desear que fuera al camarote Martín quería obligarla a dejar esa actitud, a decir alguna palabra aunque sólo fuera por borrar y desmentir aquellas otras que habían incrementado y distorsionado en el silencio la amenaza que el eco había estampado contra los muros húmedos y viscosos de aquel escenario wagneriano. Un ámbito de proporciones desmesuradas y casi tan fantasmagórico como el que les había descrito Pepone con pomposos adjetivos y elocuentes aspavientos una vez hubo acabado de contar la historia de la mujer de los harapos. La cueva azul, dijo, es un lugar embrujado que encierra todavía misterios por desvelar y fragmentos de historia por investigar. Se dice, y se agachaba bajando la voz al tiempo que reducía la velocidad para que se oyeran mejor sus palabras, se dice que por un extraño fenómeno que ningún científico ha podido descubrir aún, el agua que encierra la cueva contiene la mayor densidad de sal que se conoce: no viven en ella ni peces ni aves, ni anidan crustáceos en sus bajíos, ni en los escollos se agarran caracolas, ostrones o lapas. Es un agua viscosa, oscura, que deja el aire inmóvil de frío, de un frío compacto que no cala, que permanece como un apósito en la superficie de la piel y transforma el bramido del mar exterior en un eco sordo de concha marina gigantesca, en un sonido aterciopelado, envolvente, que cierra el espacio con mayor contundencia aún que las mismas rocas que lo componen. La bóveda y las paredes lisas, sudadas y rezumadas, de un azul intenso y oscuro, irisado por la refracción del haz de luz que se concentra en la monumental arista horizontal de la entrada, fueron cárceles donde los turcos llevaban a morir a sus prisioneros. Los dejaban en las resbaladizas plataformas de la cueva con grilletes en los pies y cuando tras dos o tres semanas de haber cerrado la salida con sus naves ponían rumbo a la costa, no quedaba en ella más que quietud y silencio. Se dice, y reducía aún más la velocidad al tiempo que bajaba la voz como si fuera a desvelar un secreto oculto durante años, que se mantienen aún incólumes en el fondo de las aguas sin que ser vivo alguno se haya acercado a roerles el rostro o el cuerpo ni a desgarrarles los ropajes, y que en las noches de tempestad si cae el rayo por levante en el momento que por la misma fuerza de su embate una ola se retira y deja la entrada exenta se produce un instante de transparencia tan diáfana que alcanza las simas más profundas, y el pescador perdido en la tormenta que asista por azar al milagro contemplará un ejército de hombres y mujeres que oscilan bajo el agua sujetos al abismo por el peso de los grilletes, con los cabellos y las ropas y los brazos flotando al influjo de la corriente, abiertos aún los ojos con el estupor del último instante.

—¡Basta! —había chillado Chiqui que se había unido a los demás para escuchar la historia. Andrea en cambio no se había alterado, y cuando más tarde aprovechando la bajamar Pepone había deslizado la

186

barca al interior de la cueva con un golpe de remo, Martín había sentido por primera vez esa inquietud que confundió entonces con una nueva arremetida del mismo miedo a volver al puerto y ser descubierto, pero aun así no había apartado los ojos de ella. Andrea había contemplado el azul irisado con extrema frialdad, sin inmutarse ni admirarse, y había sonreído irónicamente a los gritos de Chiqui al echarse al agua, que retumbaron en las bóvedas azules, húmedas y espectrales como había dicho Pepone. Y mientras los demás jugaban con la luz y las voces y se desplazaban con ayuda de los remos y del bichero buscando en vano la transparencia del agua que había de descubrirles el secreto de sus oscuras cavidades, ella, en un momento de confusión, se había situado a su espalda. No recordaba exactamente las palabras que murmuró pero la conocía lo bastante para saber que, aunque no explícitamente, le había venido a decir, y no porque lo creyera sino porque así quería y había decidido que fuese, que nuestra suerte está echada y que por una serie encadenada de errores inevitables vamos configurando nuestro propio destino hasta adquirir poco a poco la certidumbre de que no hay salvación ni redención ni siquiera rectificación. Y no habría podido deslindar dónde acababa el consejo y dónde comenzaba la amenaza al añadir: —Y yo me cuidaré de que así sea.

Ya no había dicho una palabra más, ni en la cueva ni en la barca de Pepone de vuelta al puerto. Había subido al *Albatros*, esta vez con la ayuda de Tom que estaba acabando de limpiar las pisadas y las manchas de grasa negra que los mecánicos habían dejado en todas partes y se había encerrado en el camarote. A la media hora larga había aparecido en cubierta con las sandalias en la mano, vestida con un traje blanco que no se había puesto en todo el viaje, un collar de grandes bolas de ámbar que Martín no había visto jamás, el pelo sin recoger, rizado y abultado, sin pañuelo ni sombrero, contenido únicamente por la cinta elástica azul de las gafas que, los ojos maquillados tras los cristales, daban a su mirada una expresión más inocente pero más segura, como la ratificación de la sentencia inapelable que había dejado en suspenso en la cueva azul.

Al verla Leonardus, que estaba sentado en el banco de popa haciendo tintinear el hielo de su vaso, sonrió —quedaban todavía en el cielo los tonos rosados que con el fin del verano se inmovilizan en el horizonte a la caída de la tarde y demoran el crepúsculo, y a esa luz el blanco de su vestido adquirió tonos de fosforecencia sobre la calidad mate del atardecer— y con la calma de un ave de vuelo lento dejó el vaso sobre la mesa, apartó de sus rodillas con cuidado la cabeza de Chiqui, se levantó, se acercó a ella que se había detenido en lo alto de la escalerilla y sin tomarle la mano, ni agarrarla por los brazos o los hombros le dio un beso superficial en los labios aunque largo y premioso. Ella le dejó hacer y si cerró los ojos, pensó Martín que asistía a la escena sin comprenderla, no fue tanto por concentrarse en lo que estaba ocurriendo cuanto precisamente por quedar al margen de ello.

Luego sin mirar a nadie, con los párpados todavía entornados, pasó por su lado con una agilidad parcialmente recobrada, recogió un mantón de lino que había dejado olvidado en el banco y, como si hubiera sido un obstáculo salvado en el camino que se proponía recorrer, desapareció hacia la proa y de allí no se había movido. Aceptó el whisky que le había llevado Tom entonces y otro después de la cena pero no respondió más que con un gesto vago de negativa a la invitación de ir al Giorgios a tomar algo antes de zarpar —la noche será larga, le habían dicho, hemos de navegar hasta el amanecer—, ni levantó la cabeza cuando ya oscurecido se había puesto el motor en marcha y Tom había ido a proa a levar el ancla, ni siquiera para mirar cómo se alejaban las escasas luces del muelle que, aun antes de salir de la bocana del puerto y enfilar hacia Antalya, se habían desmenuzado disolviendo su propio reflejo en una neblina de luz vacilante.

Hasta la hora de cenar Martín no había caído en la cuenta de que la negativa actitud de Andrea, que después de la cueva azul parecía vivir para sí misma y estar en otro mundo, le inquietaba tanto como el ansia de alejarse de ese escenario donde cada persona podía ser un acusador, cada sombra una amenaza. Leonardus y Chiqui no habían preguntado qué le ocurría como si lo habitual en ella fuera no comer, ni hablar, ni siquiera responder cuando se le preguntaba, ni a la hora de cenar Leonardus había dado explicaciones sobre su extraño comportamiento aquella tarde. Cuando Giorgios, el dueño del café, se les había unido para contarles otra vez la persecución de la vieja, un acontecimiento inusitado en ese pueblo perdido en el fin del mundo, dijo, Martín, temeroso como estaba, no se tomó la molestia de atender ni de dar conversación a Chiqui porque no deseaba más que acabaran de cenar lo antes posible para zarpar de una vez. Pero aun así, desde su sitio bajo las moreras de la terraza, tenía puestos los ojos en la mancha blanca de la proa del *Albatros* que no habría perdido de vista por nada del mundo.

Finalmente decidieron zarpar. Sentados los tres en cubierta contemplaron cómo Tom iniciaba la maniobra y en tierra los hombres soltaban las amarras. El matrimonio había salido de nuevo al balcón. Habían encendido una luz en el interior de la casa y aparecían ahora a contraluz como sombras chinescas de sí mismos ante la humilde bombilla de 20 o 30 vatios, y al separarse la popa del muelle, Leonardus puesto en pie levantó riendo el vaso a su salud. No se dieron por enterados ni cambiaron la dirección de la mirada; inmóviles siguieron el curso del *Albatros* ajenos a la destrucción a que les sometía lentamente la distancia. Desaparecieron confundidos con la oscuridad y Tom, que había de estar al timón y ser relevado a las tres de la madrugada por Leonardus, se encasquetó los auriculares, fue a la nevera a por la primera cocacola, volvió a instalarse tras la rueda y puso proa al mar abierto. Chiqui con cara de aburrimiento y alegando que tenía sueño se levantó y arrastró de una mano a Leonardus. Pero antes de entrar en el camarote se volvió hacia Martín que les había seguido y le dijo:

—No te olvides de recoger a tu mujer de la cubierta, corazón.

—No —respondió él sin acusar la reticencia, pero no fue. Cerró la puerta tras de sí y se quedó de pie con la luz apagada sin saber qué hacer. El ansia por zarpar le había quitado el sueño y le había dejado la boca seca. No podría dormir ni tenía ganas de leer, y aunque ya estaban en alta mar y fuera de peligro no había mitigado esa extraña inquietud que le atenazaba y le mantenía alerta. Al poco rato, del otro lado del tabique comenzó a sonar la voz de la Callas y sobre las notas del «Poveri fiori» las risas y los golpes que durante tantas noches habían impacientado a Andrea. Y al mirar la hora y reparar en que ya eran las diez, como si hubiera sido el pretexto que esperaba, se había asomado a la escotilla para llamarla.

Todavía una tercera vez repitió su nombre antes de auparse con las manos y saltar a cubierta. Había humedad en el suelo y tuvo que agarrarse para no resbalar. Pero el bochorno apenas había remitido: el *Albatros* seguía arrastrando el calor como un peso muerto, como una telaraña incandescente en la que se hubiera enredado y de la que no pudiera desprenderse ni en alta mar.

Andrea tenía la cara apoyada sobre el hombro y

en la mano sostenía aún el vaso vacío. Martín tuvo que reprimir un gesto de ternura pero sabía que en este momento había de ser cauto porque todo cuanto hiciera o dijera habría de contabilizarse, como estaba seguro de que de una forma u otra habría de pagar esas tres llamadas desde la escotilla e incluso su silenciosa presencia allí, ahora, aunque sólo fuera por esa breve vacilación en la lucha que estaban dirimiendo desde la noche anterior. No diría nada, consciente de que tantas horas de contención y meditación necesitaban sólo una chispa para estallar y no quería de ningún modo perderse en discusiones que no harían sino debilitar la determinación que había tomado y que, hasta poder separarse de ella, lo único que precisaba para prevalecer era silencio. Y ya que ella tampoco quería salir de su hermetismo iba a intentar que volviera con él al camarote.

Pero no habían transcurrido aún cinco minutos ni había mediado entre ellos palabra alguna cuando Andrea, renegando de la altivez en la que se había escudado desde antes de instalarse en cubierta, se había lanzado al capítulo de recriminaciones y acusaciones con un ímpetu tan sorprendente que Martín, sin responder ni una sola vez a esos ¿no dices nada? ¿no tienes coraje para oponerte? ¿ni siquiera te dignas responder? o ¿es que no sabes qué decir? con los que ella interrumpía cada tanto su desmedida arenga para dar impulso a la escalada de agravios, a punto estuvo de volver sobre sus pasos y abandonarla allí, a la noche, a sus sombrías premoniciones y al desenfreno de sus afrentas, y dejarla sola bajo el cielo lejano y oscuro, sin interlocutor, sin público, sin víctima. Pero no se movió de cubierta quizá porque de algún modo esperaba que la amenaza o el peligro que había percibido en el aire quedaran diluidos en las letanías encadenadas que, bien lo sabía, le dictaban el resentimiento de no poder modificar a su gusto una decisión cuya persistencia ratificaba minuto a minuto su silencio. No, no es eso, se dijo al rato, es el miedo, es el miedo el que me hace permanecer aquí imperturbable, el miedo a lo que ella vaya a hacer, el miedo a lo que pueda estar tramando, el miedo a parecerle cobarde, inocente, pueblerino. Miedo feroz a esa mujer que, sin embargo, había sabido convencerle de que la relación que les unía era de naturaleza básicamente libre, más aún, era en sí misma el ejemplo de la elección del propio destino en el que, por un mágico azar, habían coincidido. O sería él mismo quien había encubierto ese miedo con el ropaje del encanto y la fascinación de aquellos primeros meses que habían determinado su vida entera; miedo disfrazado de entrega, de sumisión y hasta de amor, miedo a reconocer que no había sido capaz de mantener la pasión sobre la que pretendía haber construido para la eternidad, el mismo miedo de aquella noche en Nueva York, cuando vino a ofrecerle su vida entera como él le había suplicado tantas veces, a confesarle que la muchacha griega le estaba esperando en el apartamento del piso 14; miedo a decirle que ya no recordaba si la quería como entonces, miedo a echarle en cara que había sido ella la que le había enviado lejos, miedo a descifrar el misterio de su absoluta y repentina renuncia, miedo a no ser nadie sin ella, miedo a la mediocridad, al fracaso, a la soledad, miedo a todo, miedo al miedo y miedo, como había pensado aquel mediodía ya lejano en la playa de piedras negras, a no ser en definitiva más que un niño.

—¡Desgraciado!

La palabra se había desprendido del discurso y flotaba en el aire conjurando la nube de obsesiones que, como un enjambre de moscas, no dejaba en paz su pensamiento. —¡Desgraciado! —repitió Andrea y de un manotazo apartó el mantón de las rodillas, que dejó al descubierto las piernas y los pies desnudos, inquietos y temblorosos y se deslizó por cubierta hasta detenerse en un motón. Martín dio un paso para recogerlo y ella, creyendo que había decidido irse, se levantó tambaleándose aterrorizada ante la idea de quedarse ahora sola con su rencor, le agarró con fuerza por la manga de la camisa y en un tono que habría sido un grito de no haberle salido la voz tan ronca, gastada y sombría por la humedad, o acaso forzada adrede por subrayar el carácter inaplazable que quería dar a la orden, le dijo—: No, ahora no te irás, ahora vas a oír todo lo que tengo que decirte.

Había fuego y odio en su mirada azul, y más resplandor en las pupilas aún que bajo el sol, más acero en la intensidad que recogía y multiplicaba en el cristal de las gafas los destellos de la luz del mástil para lanzarlos a la negra noche, como señales de seres extraterrestres, señales de urgencia, de peligro, de ataque.

—Tanto éxito y tanto orgullo y nunca habrías llegado a nada de no haber sido por mí. ¿O es que creíste alguna vez que tú solo lo habías conseguido? —No calló sino que tomó aliento para continuar—: Es a mí a quien envió el contrato Leonardus, no a ti. ¿Habías reparado en ello? No, tú nunca te enteras de nada, siempre vives convencido de que todo te está debido. Te crees el señor de la tierra adorado por sus méritos, por sus éxitos. ¡Desgraciado! —repitió—. ¡Desgraciado!

Envuelta en el temblor blanco de su vestido se había apartado del balcón de proa para apoyarse en el andarivel y levantaba la cabeza hacia Martín, que agarrado con una mano al estay intentaba mantener imperturbable su propio cuerpo castigado por el pasmo y el estupor. ¿De dónde había sacado esa palabra, dónde escondía esa mujer una tal voluntad de ultraje que, como el collar de ámbar, él no había visto jamás?

—No me mueve el deseo de aniquilarte —dijo respondiendo a su asombro—, pero quiero que sepas que nada vas a poder hacer sin mí porque si he logrado convertirte en un hombre rico y famoso también puedo lograr tu ostracismo, que tu nombre, tu rostro y tu obra, desaparezcan en el abismo de un olvido tan contumaz como si ya se hubiera volcado sobre ti el paso del tiempo.

—Vamos a dormir —dijo él como quien habla al que por los efectos del dolor ha perdido momentáneamente el juicio, y repitió, esta vez sin entonación para no irritarla aún más—: Vamos a dormir.

Pero la voz de ella se levantó sobre el taladro del motor:

—¿No me crees? ¿Crees que miento? No es tan fácil triunfar, nadie lo logra en tan poco tiempo. No lo olvides: me lo debes a mí.

—Si acaso se lo debo a Leonardus —reconoció Martín.

—A mí —insistió ella—. Fue por mí por lo que Leonardus te ofreció volver a España. Por mí, no por ti ni por tus dotes de cineasta, ni por el ridículo corto que constituía tu currículo. Por mí, sólo por mí —repetía aunque apenas podía hablar ya porque a borbotones luchaban por fluir unas lágrimas que contuvo aún en las pupilas con una extraña mueca del labio superior, y allí permanecieron suspendidas como un prisma que aumentara el espesor de los cristales convirtiéndola por un instante en una cegata.

Sin embargo, de pie en la proa parecía haber olvidado sus vértigos y recuperado el aplomo y la estabilidad con que se movía en la *Manuela*. No se apoyaba ahora, tenía los pies clavados en la cubierta húmeda, y con un movimiento reflejo rescatado del olvido hacía oscilar su cuerpo al ritmo y contrarritmo del *Albatros*; la cabeza alta y el porte altivo exhibían la rotundidad de la afrenta como un inmenso mascarón que se hubiera desplazado desde la roda de un velero mítico.

194

—Lo hizo por mí, porque sólo con esta condición acepté ir a Nueva York cuando Carlos presentó la demanda de separación...

En ese momento, en el mismo momento que comenzó la frase, se manifestó lo que había sabido desde siempre. No le hizo falta oír la relación exacta de los hechos que ocurrieron y que la llevaron con él, ni necesitaba conocer ahora los detalles. Vio finalmente al marido adoptar su papel, que nada tenía que ver con el que él mismo, y también ella, le habían adjudicado, ella para redondear la grandeza y veracidad de su pasión, él por dejarse llevar una vez más de ella. Y no porque sus palabras le dijeran algo, que nada decían como nada habían dicho aquella primera vez que la oyó hablar sentada a la mesa de su casa de la playa, sino porque el canto de su voz agriada por la hostilidad, como la cantinela de la vieja del paseo, se había vuelto extrañamente más explícito que las palabras y aportaba en sí mismo la solución exacta a las viejas sospechas y conjeturas; escondidas y prensadas dentro de sí mismo se revelaban ahora ante el rencor como las bolas de papel chinas se expanden al contacto con el agua y sólo en ella adquieren su forma cabal y su verdadera dimensión. Y le pareció comprender entonces que el llanto interminable no había sido el llanto de la tristeza ni el de quien no puede luchar contra una pasión que le obliga a tomar decisiones que por fuerza han de herir a otro ser amado, ni el desgarro de haber de decidir entre dos amores igualmente posesivos, ni el de quien se consume de añoranza por los hijos que quedaron al borde del camino, sino el llanto del perdedor, el llanto del que ha cometido un mal cálculo y ha caído en sus propias redes, o trampas, del que ya nunca tendrá reposo ni consuelo porque sabe que no hay vuelta atrás en el error, el llanto que debió verter Adán al ser expulsado del paraíso.

No hay más que tomar el autobús en otra parada y a una hora distinta para que cambie el rostro de la ciudad en que vivimos, y ahora desde ese ángulo insospechado apenas reconocía su entorno ni la extraña figura que lo había presidido. De tal modo que se preguntó horrorizado cómo había podido vivir durante años con un ser de cuya mirada no había sido capaz de deslindar la transparencia del engaño, ni la espontaneidad de la cautela o la astucia o la premeditación, sin atreverse jamás a franquear el umbral de la incertidumbre.

—¿Te sorprende? —decía Andrea con desafío en la voz y en el porte, mucho más firme, más erguido aún, quizá para compensar esa inadvertencia que se le había escurrido en el disurso, y continuó acentuándola más aún—: Fue él quien quiso separarse, claro que sí —y lo dijo a conciencia ahora—: Fue él quien a mi vuelta del primer viaje a Nueva York me acusó de abandono del hogar y de adulterio. No yo, ¿a santo de qué?, fue él quien consiguió las pruebas y se hizo con los documentos que demostraban mi culpabilidad. Y ganó el pleito. Entonces era fácil para un hombre tener las de ganar ante la justicia. Y ahora también —añadió para sí—. Y no porque le importara mi adulterio sino porque era él quien quería irse con otra. —El tono había perdido todo rastro de agresión, y dijo en un susurro—: Se enamoró de una de esas niñas que os sorben el seso a los hombres. —Y entonces sí, bajó la cabeza y su cuerpo perdió la firmeza, vencida ante el agravio que aún ahora, tantos años después, seguía lacerando su ultrajado corazón, pero continuó—: Presentó testigos de todos nuestros encuentros. Abandono de hogar, de esto me acusó, de mal comportamiento, de adulterio. Todo le fue muy fácil, era abogado y estábamos aún bajo las leyes de la Iglesia y la dictadura. Además él ya había pactado con las fuerzas políticas que se preparaban para el relevo. Mira en lo que quedó aquel hombre liberal que tú y yo conocimos. ¿Qué podía hacer yo? —y añadió como si Martín ya no fuera su oponente—: Todos se pusieron de su parte, todos, incluso mis propios padres que aún hoy no me han perdonado.

Se había levantado una brisa suave y se adivinaba en ella una cierta intención de refrescar. El *Albatros* ronroneaba y avanzaba tranquilo por las aguas oscuras y en el camarote de Leonardus el límpido canto de la diva repetía una y otra vez su lamento.

Andrea se cubrió la boca con una mano como si quisiera contener un sollozo o esconder el rostro, y hacía chocar contra el candelero el vaso que sostenía en la otra.

Martín habló sólo por romper el silencio, por quitar hierro a sus palabras y para que ambos se olvidaran de tanta humillación, porque en realidad no quería haber dicho nada.

—Quizá lo que molestó a Carlos, o a tu familia, ya que eran amigos y tenían intereses comunes, es que cuando creían que todo había terminado entre nosotros fueras a verme a Nueva York.

Andrea se apartó la mano de la cara y le miró con desdén: —Nadie se sintió ofendido por eso —gritó casi—. Ni siquiera sé si se enteraron. —Y añadió con arrogancia—: Lo que nunca perdonaron es que me fuera con Leonardus.

Una punzada metálica, más penetrante que las angustias ante los exámenes en el instituto de Sigüenza, más dolorosa aún que el vacío ante la muerte de su padre al comprender que ya nunca diría la palabra de reconocimiento y apoyo que él había esperado desde niño, más que las lágrimas en el avión hacia Nueva York, más aún que cuando no fue aceptado su segundo guión en el concurso ni recibió una mención, ni siquiera pudieron devolverle el original porque lo habían perdido y no podían dar razón de él, más que cuando Andrea le dijo que jamás volvería a tener hijos. Supo entonces que el amor es de naturaleza tan volátil, tan poco definible que está sometido a toda clase de confusiones: todo se disfraza de amor, la envidia, el amor propio, el mismo orgullo, las ansias de triunfar, los celos, la cama, el trabajo, la comodidad y la historia, y el propio amor se confunde consigo mismo, como si escapara o se escurriera y se transformara para que nunca nadie pudiera tenerlo ni manipularlo, como si su misma esencia estuviera en el cambio y todo pudiera ser amor y todo pudiera al mismo tiempo no serlo. Pero fue el sentimiento de un solo instante, un fogonazo, y coincidiendo casi con él murmuró:

—¡Estúpida!

Se desprendió del estay e inició un paso para volver al camarote no por la escotilla esta vez, sino por el pasamano de estribor. Ella se echó hacia atrás asustada; levantó la mano que aún sostenía el vaso y más por defenderse de una reacción que creyó adivinar que por añadir saña al hostigamiento, y en cualquier caso impulsada sin saberlo por la inercia de la vehemencia que le había conducido a ello, lo lanzó a ciegas contra Martín. Él, quizá atraído por el sesgo del vaso rasgando el aire, o tal vez por verla una última vez antes de sumergirse en el tormento de la decepción y el odio, volvió hacia atrás la cabeza en un giro breve del cuello que quedó truncado por el choque del vaso en la ceja. No se inmutó por el impacto ni por el destino del objeto, que perdido el impulso primero fue a dar de rebote sobre los baos del tambucho, rodó por la cubierta y se sumergió en el murmullo y la tiniebla de la noche. Se llevó la mano a la frente para paliar el golpe y acabó el paso que había iniciado, más largo de lo previsto para no tropezar con la cornamusa. Pero no le dio tiempo a mirar a la mujer. De haberlo hecho habría visto el pánico en su mirada, pánico tal vez al comprender que había sobrepasado el límite a partir del cual ya no era posible el retorno, como el delincuente acorralado que ha disparado indiscriminadamente la munición, convencido de que no ha de acabársele nunca, observa con horror que no le queda una sola bala y se da cuenta demasiado tarde de que esa última salva de disparos no ha hecho sino cambiar la naturaleza de las cosas traspasando el umbral de lo que aún podía controlar y yendo mucho más allá de lo que le habría sido dado modificar, y vencido comprueba que su tiempo ha terminado y ya no hay esperanza —del mismo modo que se convierte en dos la cuerda tensada un instante más, o a partir de una repetición la caricia se muda en tormento, o se transforma en odio, resentimiento y dolor el amor que va más allá de su propio límite. Y habría sido testigo también de que en ese mismo instante chocaba su cintura con el andarivel por la fuerza del retroceso y perdían firmeza los pies, o resbalaban hacia delante por la humedad de la cubierta, y al extender los brazos para intentar agarrarse a un stay o a un obenque se perdían en el vacío sin más utilidad ya que la de desplazar el aplomo del cuerpo y sumarse finalmente al peso de la cabeza. O tal vez lo que se perdió no fue tanto esa concatenación de fuerzas y efectos de sus movimientos cuanto el pavor de su mirada al volverse en busca de un agarradero y encontrar el vacío que había vuelto a cobrar el oscuro abismo del vértigo y su irresistible e inapelable llamada. Y cuando finalmente se quitó la mano de la ceja y terminó en la dirección de Andrea la rotación del cuello, ella ya no estaba.

Ni siquiera cuando mucho más tarde fue capaz de volver a pensar en lo ocurrido logró ese instante despertar otro sentimiento que el de rencor por la ofensa, tan brutal e intencionadamente infligida que no podía ni pudo nunca suplantar el leve escalofrío del *Albatros* al liberarse del cuerpo de la mujer que tanto había amado, un desenlace sin contenido para una conciencia ultrajada, reconcentrada en sí misma, cerrada al exterior. Un sin sentido.

Y sin embargo un segundo antes ahí estaba, ahí, casi al alcance de la mano, descalza, de pie en la proa, patética en el inútil triunfo de su proclama. Así la había visto por última vez y así seguía viéndola ahora, perdida su corporeidad, transparente como un espíritu, intangible como un sueño. Ahí estaba balanceándose al ritmo del barco cuando había dicho, es Leonardus, siempre ha sido Leonardus, desde que tengo uso de razón, los demás no habéis siquiera existido, sólo amo a Leonardus. Sí, eso había dicho, y de pronto estremecida súbitamente por sus propias palabras, o por ese inútil ¡estúpida!, le había lanzado el objeto y luego había caído o se había tirado —¿había ocurrido así?— plasmando la amenaza que se había mantenido en el aire desde que hablara en la cueva azul. Y paralizado, no de miedo aún sino del despecho y resentimiento que finalmente no sólo se manifestaban sino que se sumaban a otros anteriores nunca reconocidos hasta entonces para ir tomando cuerpo y envergadura como la marea lame cada vez más lejos la arena de la playa, no fue consciente de que el grito se había truncado. Ni siquiera pudo aislar el golpe del cuerpo al caer al agua de los embates del mar contra el costado del barco, ni oír el remolino barrido por el oleaje que abría a su paso el *Albatros*.

La vuelta a la realidad por la puerta del miedo que sólo se entretiene en minucias vino después. Reparó entonces en que no había nadie en el timón y el barco avanzaba obediente a una orden dada con anterioridad, mientras vislumbró la imagen fugaz del muchacho con los auriculares insinuando torpemente ritmos de islas lejanas. La luz en la cabina central, la cocacola. Levantó la cabeza sobre la puerta de la escotilla. Sonaba aún la voz de la Callas entre risas sofocadas y ocasionales y ellos seguían jugando y riendo ajenos a la brutalidad que le había escogido a él como protagonista y a ella como víctima. Nadie había oído nada. Ninguna investigación, pensó anticipándose a los acontecimientos aun antes de haber adoptado una determinación que una vez más habría de tomar el tiempo por él, sabría nunca lo ocurrido. No habrá testigos, pensó con una lucidez de acero en la mente, nadie podrá acusarme de lo que no he hecho.

Una bandada de gaviotas silenciosas se alejó en vuelo raso como si alguien hubiera echado basura por la borda, como minúsculas manchas blancas suspendidas sobre el agua, como luces fugaces en el pasmo de la noche.

Pero el miedo disloca e invalida todo propósito, todo plan, toda estrategia y nunca se hace cómplice de aquel a quien atenaza. Martín se dejó caer sobre cubierta con tal excitación en el cuerpo que se reproducía en el temblor de las piernas y le discutía el ritmo al corazón, y en el sofoco en la cara emergiendo del calor opaco que le envolvía. Le dolía la sien y se tocó la ceja: sintió el tacto viscoso y al acercarse la mano a los ojos vio la humedad oscura de una gota de sangre. Habría podido morir, pensó. ¿Morir? Ella va a morir. Volvió a la realidad. Tengo un minuto para pedir auxilio. Tengo que hacerlo. Ahora, ahora mismo. Si no lo hago seré un asesino. Ahora. Ahora. Pero no se movió. Permaneció esperando un desdoblamiento de sí mismo que le incitara a gritar. Un golpe seco se levantó sobre el inicio de «Poveri fiori» que se repetía por enésima vez: la tapa de la nevera al cerrarse. Luego los golpes en los peldaños de la escalerilla.

Si no grito ahora mismo pidiendo auxilio me convertiré en un asesino, había dicho hacía un instante. Tom volvía a sentarse tras la rueda del timón pero no le llamó. Se ha ido, pensó al comprobar que esa parte de sí mismo se negaba a pedir ayuda, se ha ido sin ruido, sin que nadie se diera cuenta, como se van los ajos vanos.

El sudor le caía por la frente a chorros y tenía el cuerpo helado en contraste con la sangre ardiente que martilleaba las sienes, las muñecas, las piernas, hasta convertirse en un estremecimiento compulsivo que le impedía mantenerse incorporado. Se agarró al palo con una mano y con la otra se secó el sudor que confundido con la humedad descendía por su rostro sin poder detener el temblor que le hacía castañetear los dientes. Buscó con los pies la escotilla porque estaba ciego, yo ciego y ella muerta, pensó, y a tientas metió las piernas y se dejó caer en la litera: el choque de su cuerpo contra el colchón le asustó y oyó entonces el golpe de su cuerpo contra el mar que no había oído y su grito truncado.

Intentó cubrirse con la sábana pero le quemaba en la piel como la lana bajo el sol. Cogió la botella mediada de whisky del estante y bebió un trago largo, y luego otro y otro hasta que la apuró. En la confusión de su pensamiento sin imágenes, sombras indescifrables, palabras oídas o rememoradas se atropellaban y empujaban como la lava de un volcán deslizándose por la ladera del monte. Algo pugnaba por abrirse paso en la memoria que la voluntad había encubierto durante años, vagos indicios, pretextos para extrañas ausencias, viajes jamás suficientemente aclarados con los hijos, silencios sobre ellos, el piso que había recibido de unos padres a los que no volvió a ver... ¿Por quién había sufrido ella, por mí o por él? ¿A quién había sido fiel esa mujer, en quién había confiado? Había mentido a todos y a todo, incluso a sí misma, ocupada únicamente en acomodar los acontecimientos al personaje que había creado, en manipularlos para construir con ellos una historia que ella era la primera en creer. Lo de menos ahora es que fuese cierto lo que había dicho. Por primera vez se dio cuenta de cuán reales pueden ser las intenciones, tanto o más que los hechos que pretenden encubrir o inventar. Porque no puede ser cierto, recapacitó, lo ha dicho sólo para ofenderme. Pero la sospecha no le proporcionó solaz sino que se acrecentó el rencor y el odio por ese ser que se deslizaba y se fundía en su mente y del que sólo quedaba ahora el balbuceo entre lágrimas y el brillo metálico de su mirada azul.

Se levantó y entró en el cuarto de baño. Encendió la luz: apenas reconoció la cara blanca, sudorosa, de calidad marmórea que le miraba desde el espejo. La renuncia, concluyó un segundo antes de vomitar en un solo chorro todo el alcohol que acababa de tragar mezclado con los restos de la cena, no sirve como prueba de amor, no hace más que mermar la propia vitalidad, la fuerza y la energía, y la misma identidad de quien con ello cree haberse elevado a sí mismo a una categoría de ser superior y convertir al otro en deudor de tan elevada gracia para el resto de sus días. Tenía ahora la cara congestionada. ¡Estúpido tú!, gritó al Martín que tenía enfrente: ella ni siquiera renunció a nada, no voluntariamente y menos por ti.

Limpió el lavabo con esmero entreteniéndose en las pequeñas manchas que el vómito había dejado en el suelo y sólo dejó de frotarlo una y otra vez con un trapo que había encontrado bajo el lavabo cuando reparó en que el ruido de la bomba de agua se iba incrementando y tuvo miedo de alertar a los demás. Entonces se enjuagó la cara y las manos y volvió a mirarse. El espejo le devolvió un rostro de piel morena y oscura con una barba de dos días que no se correspondía ni con el afeitado de esa misma tarde, ni con la piel lisa e imberbe que tanto había llamado la atención de Andrea, de grandes ojos oscuros fijos en los suyos con aire interrogante: ¿qué miras?, ¿qué miras, imbécil? No te has enterado de nada, nunca has sospechado nada, eres un idiota. Hace años que eres un pelele idiota. Se calló obnubilado por ellos, hipnotizado casi, y así permaneció —como tantas veces en el cenit de las reconciliaciones se había detenido en la mirada vaga de Andrea para licuar en ella el amor y perderse en la estática expresión de sus pupilas— hasta que dejaron de tener significado la cara y el cabello negro y húmedo sobre la frente y en la inmovilidad prolongada se detuvo un instante el pensamiento y el rostro se unió a las sombras sin contenido que le roían la inteligencia. Sólo un instante de alivio.

¿Quién sabía la verdad? Quizá el mundo entero, quizá yo no soy más que un payaso a quien se aplaude para que en su vanidad no se entere de lo que ocurre y siga haciendo sin saberlo el papel que se le ha adjudicado. Nunca sabremos lo que somos para los demás, repitió una vez más, moriremos sin conocer nuestra imagen oficial, la trama y urdimbre que van tejiendo entre todos hasta cimentar la personalidad con la que andamos y vivimos y llevamos a cuestas sin entender de hecho en qué consiste. Volvió al camarote y se dejó caer en la litera. Alargó la mano y la extendió sobre la sábana. Una cama ancha, extensa como una meseta que a partir de ahora podría recorrer interminablemente sin obstáculos, buscando escollos y hormigueros escondidos, y se dejaba envolver por la extraña placidez que se extendía por su cuerpo como si el vómito le hubiera liberado para siempre de un antiguo lastre. Ya no despertaría con la sensación de otro aliento a su lado, un cuerpo sumergido en su propio abismo dejando sólo la carcasa para él, ya no oiría esos ruidos de vida ausente, opacos, conatos de ronquidos como el resoplido de un animal dormido, sin comprender qué había en su interior. Ni tendría que navegar. Odiaba navegar, odiaba a la gente, odiaba su trabajo, se odiaba a sí mismo jugando a ser importante, actuando y acumulando como si fuera cierto que construimos para la eternidad.

204

No oía los embates de las olas contra el casco del *Albatros* ni se reprodujo otra vez el grito que no oyó ni el choque que por un golpe de mar nunca arrastraría su memoria. Pero le traicionó el olfato porque al darse la vuelta inquieto, el olor de la almohada implantó de nuevo la presencia que creía alejada. Y lloró entonces como lloran desconsoladas las viudas al hombre que las machacó, porque la muerte transforma el cuerpo del ausente, y sin testigos para desmentirla ni enmendarla, inmoviliza para siempre en la memoria del que sobrevive una historia que los redima a ambos, y se convierte entonces la muerte del ser amado en una muerte más muerte que las demás muertes cuando en realidad no es más que la misma muerte de todos y de todo, sólo que en momentos distintos. Pero apartó la imagen que se repetía en la abstracción de un tiempo sin ritmo ni agujas para intentar dejar la mente en blanco. Con todo fue capaz de ver cómo había emergido del agua después de la caída. Al principio debió creer que el *Albatros* se había detenido y alguien había saltado al agua para salvarla, y casi se habría dejado morir en un intento de agravar la situación para que fuera más obvia y pesada su culpa, cuando debió de darse cuenta de cuán vano era el intento al renacer la calma y alejarse y desvanecerse en la distancia el motor del *Albatros* devorado por la oscuridad, una sombra entre las sombras siguiendo un rumbo que tampoco podía precisar porque los cristales de las gafas estaban mojados y los ojos le picaban. Debió de comprender entonces que él la iba a dejar morir. Y gritó probablemente, gritó con todas sus fuerzas mientras movía los brazos envuelto el cuerpo en el estupor y la impotencia. Tal vez tardó tanto en comprenderlo como el tiempo que necesitó para acomodarse a la oscuridad. De vez en cuando todavía un golpe perdido que traería el viento o quién sabe si se escurriría por las corrientes ocultas del mar hasta sus piernas y aguzaría los sentidos entre sus propios sollozos y gritos para atinar a descubrir en qué dirección había de pedir auxilio. Hasta que finalmente dejó de oírlo.

Quedó entonces a merced de los espacios vacíos del mundo que existían por sí mismos, sin testigos, estepas interminables a la luz de la luna o a oscuras, ríos de montaña que se precipitaban por los riscos en el silencio de la soledad, abiertas magnitudes de océano ante amaneceres y ocasos, noches y días desde el principio de los siglos sin un ojo humano para dar fe de ellos, igual que ese pedazo de mar que la había acogido hasta que devorara el tiempo su piel y su memoria. Puesto que hemos de morir ya estamos muertos. Quizá en ese instante viera asomar por el horizonte el cuarto de luna como le había sorprendido a él la noche anterior y cobrara la atmósfera una luz tenue y aparecieran las líneas del horizonte azul marino. ¡Oh Dios! ¿Quién conoce el interior de nosotros mismos? Somos núcleos que contienen en potencia todas las posibilidades de desarrollo, toda la gama de comportamientos y de reacciones, todos los dones de la naturaleza igual que todas sus imperfecciones y monstruosidades. Será la eternidad lo que me espera antes de morir. El alba, ¿llegará alguna vez el alba?, o la muerte, ¿cuándo llegará? Me fallarán las fuerzas y beberé agua y me hundiré. Sucede al pensamiento el terror de la absoluta soledad envuelta y aprisionada en el agua negra y viscosa como la de la cueva azul y la bóveda inacabable sobre ella, lejana pero precisa, con el rumor profundo del movimiento del mar reproduciendo hasta el infinito su propio rugido pausado y superpuesto, capas y capas de murmullos, explosiones de minúsculas olas que mueren en sí mismas incorporando al movimiento global su propio bramido disuelto en ese otro sordo, lejano y cercano a la vez, de concha marina gigantesca. Y el abismo bajo el agua, más hondo que el del vacío, más hondo aún y más impenetrable, oscuro, compacto, repleto de vida, seres con vista y sentido que luchan y pululan, se mueven o descansan. Universos enteros bajo sus pies descalzos, la planta blanca frente a la opacidad y la uniformidad del color de la vida —las verán y correrán a morderlas como se muerden y se comen unos a otros para sobrevivir, o ¿esperarán a que su carne tenga la calidad de la muerte y se abalanzarán sobre ella sólo cuando llegue el final? Tendrá miedo y vértigo sin necesidad de asomarse a la sima. Vomitará como yo he vomitado y beberá agua. Los labios se pondrán morados y también los brazos y las piernas, blancas las plantas y las palmas y las uñas, como el rostro y los dientes transparentes. Y los calambres se antepondrán al pensamiento. ¿Qué fracción de la vida se recuerda antes de morir? No rememorará nada porque no aceptará que va a morir, no querrá morir. No sabrá que ha llegado el último momento cuando eche de menos tal vez el saxo del muchacho en la terracita de· Nueva York, igual que cuando llegó a Nueva York echaba de menos los ruidos de su piso de Barcelona, de su casa de Cadaqués, los ecos de las voces de los niños, ¿añorará ahora lo que tendría que haber sido su vida, nostalgia de un futuro que ya no ha de vivir, o nostalgia de lo perdido, de los amigos que pasan, como pasan las sorpresas y los recuerdos se desvanecen suplantados por otros más recientes o más antiguos? O aparecerá ahora como una última acusación el rostro de pavor borroso de lluvia a la luz de los faros del hombre con los brazos levantados en un gesto de rendición, de súplica, de desesperación en el umbral de la agresividad, calado hasta los huesos, mientras ella desde la mullida confortabilidad del interior del coche se desviaba evitándole, olvidándole, y continuaba su camino mirando fijamente la lluvia contra la carretera y oía el tintineo sobre la plancha del techo para escapar a la visión de ese rostro pidiendo ayuda y olvidarlo con tal convicción que ni quiso hablar de ello entonces ni nunca, ni probablemente volvió a recordarlo hasta ahora en el último instante cuando asoman, dicen, las más recónditas atriciones de la vida. Y después morirá engullida por el mar, comida por los peces, sin más. Morirá y será como si nunca hubiera vivido. ¿Qué quedará de la mujer que pretendió ser y que quizá llegó a ser en algún momento? ¿De aquella chica que corría ante la policía en la universidad? ¿De la mujer que entraba con paso firme en los locales atestados de gente? ¿De la embustera, la alcohólica, la amorosa Andrea de la profundidad de la cama? Allí está en el centro del universo a oscuras, sumergida en el último peldaño de la escala de la indignidad, víctima del odio o del despecho o quizá de la cobardía y la venganza, muerta casi, asesinada. Habrá gentes que mueran en el mismo momento que ella, de hambre, de un disparo, de frío, que agonizan todos a la vez y no por ello logran escapar a la soledad. ¿Qué más dará dentro de cien años cómo haya muerto, ni siquiera dentro de cincuenta, qué importará que haya muerto ahora o dentro de ciento veinte años o hace diez años, que haya muerto de muerte natural o asesinada voluntariamente o involuntariamente una noche de septiembre? ¿Y qué importa ahora que hubiera ido a Nueva York con él? ¿A quién interesan los motivos? ¿Qué inventó para que nadie supiera lo que había ocurrido, para reconvertir la situación? Únicamente la pasión podía redimirla. Él era esa pasión, él era la justificación de su torpeza. Había acudido a él y no a otro porque tenía la mitad del camino recorrido, a él cuya juventud y talante le iban a permitir mangonearlo a su antojo. ¿Había sido idea de Leonardus que así tenía la solución perfecta de la que tantas veces había hablado? ¿Qué hizo Leonardus en esos dos años? ¿A qué esperaba? ¿Por qué no se fue con él entonces? No me fui con él porque él no quiso. La situación ha cambiado para ti, dijo, no para mí. No sirvo para estar siempre con una mujer, con una sola mujer, no haría sino echar de menos a todas las demas, elegir es renunciar. Pero fue el único que me ayudó. Leonardus no podía ofrecerme lo que yo quería, no sabía, era incapaz. Tardó dos años, dos largos años, pero me llamó otra vez. Leonardus al llegar a casa tantas tardes sirviéndose el whisky aguado. Leonardus con ellos al teatro, Leonardus en los viajes, Leonardus el amigo inseparable, el viejo tío protector al que se le cuentan las inmitigables penas de la juventud para las que siempre tiene por lo menos un consejo y el recurso del dinero. Leonardus llamándole desde el Ritz donde vivía para concertar con él una partida de billar en el Velódromo mientras Andrea encadenaba fiestas y cenas. Leonardus que delegaba siempre en sus extraños y sumisos subordinados las peticiones o quejas de trabajo. Leonardus tan mayor y tan importante, nunca visto como un rival, sólo un amigo de la madre y un socio del padre. ¿Un amigo? ¿Por qué a partir de entonces Andrea nunca volvió a ver a su madre ni a su padre? ¿Qué escondían esas rupturas? Y esos viajes en los que desaparecía unos días y a los que nunca le dejó ir —no quiero cargarte con mis hijos, apenas les conoces.

Ni siquiera podía atribuir al amor sus constantes, crecientes e irracionales ataques de celos. ¡De qué extraños artificios construye una persona sus reductos! Se abre paso en el pensamiento el río de odio: muerta. Y sin reconocerse a sí mismo en ese marasmo de ruindad, muerta, está muerta, repitió. Los fracasos nos despojan de nuestra propia historia, se llevan consigo los vanos esfuerzos, las horas inútiles de insomnio, las esperanzas que alumbraron tantas vigilias.

Extenuado pero lúcido miró el reloj convencido

de que estaría a punto de amanecer, y como el que se ha dormido y despierta una hora más tarde completamente desvelado y se da cuenta de que le queda toda la noche por delante comprobó con horror que apenas había transcurrido una hora y comprendió que la agonía no había hecho más que comenzar.

Y como si con ello pudiera acelerar la hecatombe para que dejara de torturarle su espera, se sentó en la litera, encendió un cigarrillo y permaneció a oscuras atento a los ruidos del exterior que habían de dejar al descubierto su nueva condición.

Oyó los pasos en cubierta sobre su camarote. Debía de ser la hora del cambio de guardia, el turno de Tom habría terminado y Leonardus, que había de sustituirle, estaría haciendo la ronda antes de ponerse al timón. Los pasos se precipitaron. Voces. Pasos más rápidos. Los oyó bajar las escaleras de la cabina principal, debían de pasar ante las neveras, ahora estarían frente a su puerta. Ahora.

Un golpe violento atronó el camarote.

—¡Andrea! ¡Martín! ¡Martín! ¿Está Andrea contigo?

—No —respondió sin entonación porque no sabía cuál había de ser su actitud ni había preparado estrategia ninguna.

—¿Está Andrea, te pregunto? Contesta, carajo. Abre la puerta.

Se levantó tambaleándose y abrió.

Leonardus frente a él, con un pedazo de tela blanca desgarrada en la mano y una sandalia en la otra tenía todavía ojos de sueño, henchidos de furia y de terror, y su inmenso cuerpo temblaba. Detrás de él, Tom con los auriculares colgados del cuello le miraba fijamente. Martín no dijo nada.

Leonardus le agarró por los hombros desnudos.

—¿Dónde está Andrea? —chilló—. ¿Dónde está?

Martín le sostuvo la mirada.

—No sé —dijo.

—¡Imbécil! ¡Ha caído al agua y tú sin enterarte! Imbécil, eres un verdadero imbécil. —Y le zarandeó con tal ira que le golpeó la cabeza contra una cuaderna. Martín se frotó con la mano el lugar donde se había golpeado, pero no se movió. Tom había desaparecido y súbitamente el barco viró en redondo, Leonardus, que se dio cuenta, ya iba a salir cuando se volvió de súbito y se encontraron sus miradas otra vez. Ninguno de los dos la desvió, conscientes ambos de la impotencia del otro en descubrir algo más que una mera conjetura. Al fin Leonardus, apremiado por el motor que recogía ahora la urgencia haciendo crujir las maderas, rodar las cajas en los anaqueles, tintinear los vasos y los platos, de un empujón le echó sobre la cama.

—Imbécil —chilló—, no te enteras de nada. —Y salió.

Martín se incorporó y permaneció sentado en la cama contrarrestando el creciente balanceo del *Albatros* con el movimiento de su propio cuerpo. Si estuviera de pie sin agarrarme ya me habría caído, pensó, atento sólo al contrarritmo y a la milimétrica simultaneidad invertida del vaivén del barco.

Al poco rato volvió Leonardus:

—¿Subiste a cubierta con ella?

—Sí.

—¿Qué hora era?

—No sé, cuando nos fuimos a dormir. —Se acordaba bien de que eran las diez, pero por un oscuro sentimiento de defensa no lo dijo.

—¿Y cuando volviste, ella se quedó en cubierta?

—Sí.

—¿Por dónde entraste en el camarote? Yo no oí la puerta.

—Por donde había salido, por la escotilla.

—¿Había música en mi camarote aún?

—Sí.

—¿Qué hora era? Tengo que saberlo.
—Fue al cabo de media hora, una hora quizá.
—Y después ya no oíste nada.
—No.
—¿Te dormiste?
—Sí.
Leonardus, solazado por tener la mente ocupada en contar horas y distancias, comenzó a calcular para sí:
—Zarpamos a las nueve, nos fuimos a dormir a las diez, pongamos que este imbécil volviera a las once. Son más de las tres. Cuatro horas a nueve nudos, entre treinta y seis y cuarenta millas. Nuestra velocidad máxima es de quince nudos. ¡Dos horas!
—Se fue chillando—: ¡Dos horas y media, Tom, son dos horas y media a toda máquina!
Chiqui había salido de su camarote y lloraba en un rincón de la cabina como una niña pequeña asustada que no comprende lo que ocurre. Se había cubierto con una sábana y repetía oh santo Dios qué desgracia Andrea pobre Andrea con voz monótona.
Leonardus, que había subido a cubierta para decidir con Tom el rumbo a tomar, bajó las escalerillas otra vez, encendió la luz del ángulo opuesto de la cabina y comenzó a manipular la radio. Casi no alcanzaba a ponerla en funcionamiento. Salieron en antena voces en griego y turco superponiéndose y ruidos intermitentes que las borraban y volvían a aparecer. Se había pillado un dedo y los juramentos se oían sobre los rasguños de las sintonías agrietadas y lejanas y las frases entrecortadas en idiomas desconocidos, hasta que logró conectar con una emisora que a su vez le conectó con la policía. ¡No oigo nada! ¡Calla!, y deja de lloriquear —bramó dirigiéndose a Chiqui—. Problemas, eso es lo que sois, problemas. ¡Calla te digo!
Asustada, Chiqui volvió sollozando a su camarote y cerró la puerta.

Dos horas efectivamente estuvieron para deshacer la derrota. Y durante la mitad de ese tiempo Martín permaneció sentado en su cama sumido en su propio movimiento. El contrarritmo había adquirido autonomía y no hacía más que mover el cuerpo hacia adelante y hacia atrás, con una cadencia precisa, regular, uniforme, independiente ahora del balanceo del *Albatros*. La puerta había quedado abierta y batía a merced de sí misma, gemían los goznes por falta de aceite y chocaba el tirador con la pared de madera.

—¡Cierra la puerta o ábrela o fíjala, pero que deje de golpear! —chilló Leonardus, que se debatía aún en la radio intentando acabar una conversación que mil interferencias habían interrumpido—. ¡Hostia de Dios!

El mar debía de haberse rizado ahora o había entrado el viento. De pronto Martín, en la reclusión de aquella monotonía pendular, se dio cuenta de que tenía las manos y los pies helados. Pero aun así no se detuvo.

Leonardus había sacado del pañol de popa dos linternas que no funcionaban y llevado del desespero se dedicó a buscar pilas vaciando los cajones en el suelo y despanzurrando el fondo de las gavetas. Hacia las tres Tom preparó café dando saltos del timón a la cocina y luego sin dejar de beber se puso su chaqueta amarilla porque hacía frío. Ahora había mar más gruesa y Martín sintió vahídos. Entonces se puso un jersey y salió a cubierta. El cielo estaba estrellado pero la noche era tan oscura que era difícil saber dónde terminaban las estrellas y dónde comenzaban las escasas luces de la costa lejana.

Cuando al cabo del tiempo intentara reconstruir esas horas sólo aparecían detalles concretos y tangibles, como la humedad viscosa de la cubierta, los juramentos de Leonardus, el estampido de las linternas inservibles y las pilas herrumbrosas contra la pared y esa sensación de frío mezclada con el aroma de café y la llantina de Chiqui y el cielo estrellado y la tajada de luna que había subido desde el horizonte incapaz de iluminar la tiniebla, como la de ayer cuando no había ocurrido aún lo irremediable. Recordaba la cara de Tom, despejada la frente por el viento que iba aumentando, y la expresión de Leonardus cada vez que caía en la cuenta de que todo eran intentos vanos y perdía la esperanza y se dejaba caer en el banco apoyados los codos en las rodillas y sosteniéndose la cara entre las manos, él, el avaricioso poseedor de mundos ignotos.

Serían casi las cuatro y media cuando Leonardus dijo que ya navegaban por la zona donde con ayuda del sextante y el compás calculaba que se había producido la caída, pero Tom —como el beduino camina por el desierto interpretando sin necesidad de mapas ni brújulas signos inexistentes para el viajero, quién sabe si piedras, o dunas, o el perfil ondulante del horizonte o un asomo de quebrada que dibuja el golpe de luz— no atendía a las órdenes que le daba y seguía el rumbo estimado sin reducir la velocidad, y seguro de que no había llegado aún el momento, dirigía el *Albatros* sin titubeos hacia su destino.

Sí había de recordar, sin embargo, el grito que atronó el cielo cuando más tarde, no podía precisar cuánto tiempo había transcurrido, Chiqui, que había subido silenciosamente a cubierta vestida ahora y abrigada y desde la popa escrutaba ella también el agua oscura, se acercó a Leonardus y le puso la mano en la cabeza:

—¡Fuera! ¡Fuera! ¡Largo de aquí! Déjame en paz. Y tú sigue, sigue dando vueltas —espetó a Tom que probablemente coincidiendo con esa explosión de ira había puesto el motor al ralentí—. Sigue. A toda velocidad.

—Es mejor que ahora vayamos despacio —dijo Tom levantando la voz por primera vez para hacerse oír sobre el rugido de las olas—. No tenemos más luces que éstas —señaló la de la cruceta y la de tope— y podríamos caer sobre ella sin verla.

—No la encontraremos, es imposible —dijo entonces Leonardus—, es imposible. —Y volvió a bajar la escalera gritando—: Esos cretinos de policías, con el pretexto los griegos de que estamos en aguas turcas y los turcos de que vamos a pasar a aguas griegas, ni se acercan. —Mientras, la radio lanzaba al aire arañazos y palabras sin sentido.

Le dolían los ojos, forzados durante horas por penetrar la oscuridad, salvar la distancia con el aliento contenido y descifrar sombras de reflejos para descubrir en ellos un cuerpo extraño. ¡Cuántas veces sin cesar de dar amplias vueltas, perdido incluso el sentido de la orientación, creyeron ver en la lejanía una mancha más oscura que las sombras cambiantes de una ola sobre otra! ¡Cuántas veces corrigieron el rumbo impelidos por una esperanza que se deshacía como las crestas en los senos de las olas dejándoles en el vacío!

El mar se había encrespado. El *Albatros*, reducida ahora la velocidad, cabeceaba impulsado por una corriente de fondo que se iba incrementando sin que se cubriera el cielo, como si un temporal lejano hubiera lanzado contra ellos los vientos y llevaran la delantera los que se desplazaban ocultos en el fondo del mar. La luna había llegado a su punto más alto. Debían de ser casi las cinco menos cuarto, tal vez las cinco, pero era de noche aún. Cesaron los ruidos de la radio y Leonardus volvió a cubierta, se sentó en el banco, hizo un gesto y llamó con voz queda que ella no podía oír: —Chiqui, ven, ven. Sin embargo se acercó y se sentó a su lado. Leonardus abrió los brazos y los cerró sobre ella envolviéndola en su inmenso cuerpo, apoyó la cabeza en sus cabellos y estalló en sollozos.

VIII

«My bounty is as boundless as the sea...»
Romeo and Juliet, WILLIAM SHAKESPEARE

Fue él quien la descubrió. Él, un experto en sorprender la mirada de sus ojos tras los cristales que tantas veces había buscado por el reflejo en ellos de la luz. Desde un punto lejano que daba aún más profundidad a la oscuridad opaca y espesa de esa noche dilatada en el temor y el desaliento, un brillo fugaz y doble lanzaba destellos vacilantes por el reflejo de aquella pálida luna que no había tenido fulgor más que para sí misma. No podía hablar ni gritar ni apenas moverse, no hizo más que levantar temblando el brazo en la dirección donde había visto las dos centellas y así lo mantuvo hasta que comprendió que los demás, siguiendo la dirección que les indicaba, lo habían visto también y el *Albatros* corregía el rumbo.

Tom saltó al camarote y volvió con una manta que dejó en el suelo.

Comenzaron a picar las olas contra el casco del barco y a llegar ráfagas de viento. Abocados a la borda seguían los cuatro los reflejos que ahora, aún con mar gruesa, se iban definiendo. Leonardus fue el primero en llamarla haciendo bocina con las manos, y recuperada la vitalidad bajó a la cabina y volvió con un megáfono: —¡Andrea! ¡Andrea!

Tom redujo la velocidad todo lo que le permitía seguir gobernando el barco, hasta que las voces acabaron sobreponiéndose a la trepidación de la máquina. Cuando estuvieron cerca, desviando el rumbo casi una cuarta para que la corriente no les echara sobre ella, mantuvo el gas en su punto mínimo, pasó el timón a Leonardus, colgó la escalerilla de la borda, se quitó el jersey y los pantalones y se echó al agua.

Cuando Martín volvió a mirar al mar, Tom, con Andrea en la espalda, se agarraba con una mano a un cabo amarrado al chigre de escota del que tiraba Leonardus y con la otra mantenía asidas las dos manos de Andrea. Las olas ya muy altas les cubrían a veces y a Tom le costaba mantenerla sobre la espalda: ahogado por la presión de los brazos de ella a ambos lados de la cabeza apenas lograba sacarla del agua para respirar. Dos veces soltó el cabo para intentar coger la escalerilla y las dos veces se le escapó. Y de nuevo alejado por la corriente y cegado por el agua volvía para agarrarlo. Finalmente logró asirse a la escalera, puso un pie en el primer peldaño y con mucha dificultad pudo izarse porque lo que llevaba no era más que un peso muerto de rostro cubierto de cabellos al que las gafas teñidas por la luz roja de la banda de babor convertían en una máscara trágica. Los embates del mar habían crecido y cuando Leonardus, que se había tumbado en cubierta boca abajo y se sostenía con los pies en el banco, alcanzó a agarrarla por debajo de los brazos, Tom subió otro peldaño y ella con él. Martín se tumbó a su lado y en un gesto inútil alargó las manos hacia ellos. —¡Quita!, déjame hacer —logró decir Leonardus casi sin voz por el esfuerzo—, ¡inmoviliza el timón!

—Martín se apartó y con las dos manos asió la rueda del timón y sin saber qué hacer con ella la mantuvo firme mientras oía los golpes de la escalera y los embates del mar contra el casco.

Cuando la levantaron sobre la borda y la dejaron en cubierta tuvo la certeza de que había muerto. La piel transparente se le había pegado a los huesos y la palidez de la carne tenía la consistencia del cristal y el color del yeso. Arrastraba chorreando las horas de angustia y sufrimiento grabadas en el rostro y en la alteración de los rasgos de la cara el titánico esfuerzo por sobrevivir agarrado a ella, convertido en ella, deformándola, sin que fuera posible descubrir dónde empezaba su cuerpo y dónde las huellas de su agonía, como las ánforas llevan incorporadas las conchas, las piedras, endurecidas las algas, cristalizadas las medusas y amalgamado el color hasta alcanzar la pálida y deprimida tonalidad que precede al tránsito hacia el no ser.

Ésta es ella, pensó, ésta fue ella, y al comprobar que el mágico influjo que le unía a esa mujer vencida ahora por el tormento y la muerte volvía a manifestarse con la inexorable reiteración de las mareas y la incontinencia de los manantiales y se mantenía incólume salvando escollos, vilezas, fraudes y delitos, comprendió que por fuerza ése había de ser el epílogo de la trama de abyección y miseria que habían urdido entre los dos.

Tom la dejó en el suelo e inmediatamente la volvió de lado y con las dos manos le apretó el estómago hasta hacer salir agua a chorros por la boca, y casi al instante repitió la operación. Luego la cubrió con la manta que había dejado en cubierta, la arropó y le quitó las gafas con la suavidad con que se cierran los ojos de los muertos, pero la cinta elástica se había enredado en los cabellos y tuvo que cortarla con las tijeras que le tendía Chiqui, y aparecieron sus ojos abiertos, ojos vidriosos con la calidad viscosa del molusco, opacos como los de los peces antes de sucumbir al proceso de descomposición. Entonces la puso boca arriba, se arrodilló detrás de su cabeza y colocó una rodilla a cada lado de la cara, se inclinó, puso su boca contra la de ella y sistemáticamente impulsó aire en sus pulmones.

Los tres permanecían de pie esperando y cuando finalmente Tom, sofocado y congestionado, se apartó de ella, Andrea tenía los ojos cerrados y respiraba normalmente.

Martín, impulsado por un irresistible e inaplazable deseo de tocarla otra vez, dio un paso e inició un gesto, pero le disuadió la mirada de Leonardus.

La entraron en el camarote y la dejaron sobre la litera. Tom volvió a arroparla remetiendo la manta bajo su cuerpo y añadió aún sobre ella dos más y un saco de dormir.

—¿No hay que quitarle la ropa mojada? —preguntó Chiqui.

—No —dijo simplemente Tom, se sentó a su lado, puso la mano debajo de las mantas y sacó la de ella. La tomó por el pulso y ya no la soltó. Chiqui se sentó a su lado.

—¿Quieres café?, ¿quieres agua?, ¿tiene ella que tomar algo?

—No, gracias. Hay que esperar.

Leonardus, que había quitado la escalera y gobernaba el timón, puso proa al viento rumbo a Castellhorizo.

Martín subió a cubierta. Comenzaba a amanecer y ya podía distinguir el perfil de los montes a su izquierda. Las embestidas del viento del nordeste habían tomado fuerza y se sucedían con mayor frecuencia y ahora el *Albatros*, a toda velocidad, daba tumbos sobre las olas que aumentaban inquietas la frecuencia y el volumen. A medida que la claridad grisácea cubría el cielo, aquel mismo ámbito infinito de la noche adquirió medida humana y se redujo la distancia entre el horizonte y la costa y el cielo capotado descendió hasta confundirse con el mar.

De pie en la proa, agarrado al mismo obenque que horas antes había condenado a Andrea, contempló un jirón de su vestido blanco que volaba aún chorreando prendido en el candelero del andarivel y así permaneció en espera de la lluvia que no tardaría en caer. El cielo negro acumulaba nubes inquietas, el mar con la movilidad que precede al cataclismo rugía solapadamente, aquí y allá se iniciaba un nuevo remolino o un golpe de viento remitía para cargar con mayor fuerza en estampidas aisladas que multiplicaban paulatinamente la potencia de las olas y se rizaban con fuerza para caer y tomar mayor envergadura. Hasta que el mar, el viento y el cielo se fundieron en un único relámpago que fulminó toda la amplitud del firmamento y estalló sobre el universo en un trueno ensordecedor que rompió el espacio.

La tromba de lluvia que cayó en aquel momento alivió la tensión acumulada en la atmósfera desde hacía muchos días. No se movió, la lluvia se desplomó sobre su cuerpo y su cabeza sin que mitigara el ardor de la sangre que le golpeaba las sienes ni el estupor de su alma lacerada.

Cuando ya estaba completamente calado le vino a la memoria el final de la última escena de la serie que había terminado pocos días antes de iniciar el viaje, «la lluvia no moja a los muertos». Y por primera vez en muchas horas, sonrió.

La tormenta fue intensa y la lluvia cayó a plomo sobre el mar con tal fuerza que cuando repentinamente cesó había allanado las crestas de las olas y barrido la espuma de sus estallidos. Quedaban en la superficie los vestigios ensordecedores de corrientes profundas que se habían desplazado con los vientos y las nubes a otras latitudes. Tras ellos el sol comenzó a dibujar los contornos de la costa con precisión iluminando los arrecifes y devolviendo paulatinamente al agua la transparencia que la opacidad de la tormenta se había llevado. Navegaban cabeceando al ritmo de la convulsión de las aguas, de vez en cuando mezclado con el olor a salitre llegaban del litoral efluvios de tierra mojada y piaban las aves rasgando el aire sobre el fragor perdido de la tempestad. Al cabo de un par de horas se desgajó nítida del continente la isla, que fue tomando protagonismo frente al paisaje, y al doblar el cabo para enfilar el puerto aparecieron los cormoranes de pie sobre las rocas, limpios y brillantes, verdes y negros, silenciosos e impávidos, con el pico levantado al cielo, como grandes esculturas de barro puestas a secar.

En el fondo de la bahía el barco de Rodas mostraba su desproporción frente a la hilera de casitas del puerto, y lo que al principio se había confundido con la amalgama de colores disueltos en la luz fue definiéndose y apareció la pintura descascarillada púrpura, carmín casi, más absurda aún que sus dimensiones, sobre los tonos tostados, ocres, cobres y de terracota del pueblo tras él.

Dos barcas vinieron a recibirles: la de Pepone con dos hombres más a bordo y una vieja trainera de uso militar que habría estado varada durante años en la antigua dársena, gobernada por uno de los dos soldados que dos días antes acompañaban al Pope; el otro, el cabo, el jefe del destacamento como le llamaba Pepone, les hablaba a gritos con un megáfono. Una se situó a babor y otra a estribor del *Albatros* y lo escoltaron hasta el muelle donde Tom amarró con la ayuda de varios voluntarios dispuestos a agarrar el cabo que les lanzaba desde la popa. Hizo la maniobra él solo porque los demás ni siquiera se asomaron a cubierta. Leonardus, desde la lumbrera de su cuarto de baño, miraba al público que se había arracimado bajo el balcón del matrimonio y los hombres sentados a la sombra de las moreras de la plaza y los niños que no se habían visto antes jugando en la calle, mientras las dos barcas viraban sobre sí mismas esperando a que terminara la maniobra. Y cuando Tom detuvo el motor se amarraron a su vez entre el *Albatros* y el café de Giorgios. El cerco de gente se hizo más denso. Nadie habría podido imaginar que la isla tuviera tantos habitantes, ni siquiera se habían visto tantas personas juntas cuando el día anterior había llegado el barco de Rodas.

Al desembarcar, el cabo dio órdenes a los soldados y desapareció. Uno de ellos subió a bordo del *Albatros* abriendo el paso a dos hombres que acarreaban unas angarillas.

—*Kalimera kirie* —dijo a Tom.

—Buenos días, señor —respondió él.

El otro se quedó en el muelle y dándose una cierta importancia jugaba con la porra y dispersaba a las gentes que formaron un anillo compacto bajo el balcón.

Tom ayudó a colocar en la litera a Andrea, que seguía con los ojos cerrados y vestía ahora una chilaba de Leonardus, y envuelta aún en las mismas mantas la subieron a las angarillas y la ascendieron por las escaleras con dificultad hasta cubierta, caminaron con cuidado por la pasarela y se abrieron paso entre el gentío camino del hospital. Tom fue con ellos.

El soldado entonces se dirigió a Leonardus y le dio una serie de indicaciones en griego que él mismo, con el semblante grave y sin apenas mirarle, transmitió a Martín cuando salía de su camarote:

—Tú verás lo que les dices a éstos, hay cosas que yo no puedo hacer por ti —eran las primeras palabras que le dirigía desde que había irrumpido en su camarote a las dos de la madrugada—. Te llevarán al cuartelillo para el interrogatorio, luego comenzarán con nosotros, pero antes te permitirán ver a Andrea. —Se detuvo y le miró quizá para descubrir, o tal vez corroborar, qué escondía su actitud y su silencio, y añadió—: De momento te harán esperar aquí hasta que reciban órdenes. Dentro de una hora como poco, se podrá ver a Andrea, ellos mismos te llevarán al hospital. Eso es lo que ha dicho el policía. Ah, y no te olvides el pasaporte, lo necesitarás —le dio la espalda y sin añadir una palabra se metió de nuevo en su camarote.

Martín se había cambiado y afeitado pero tenía aún el pelo mojado. Debía de haber cogido frío bajo la lluvia porque no se quitó el jersey ni cuando el soldado le hizo subir a cubierta y sentarse en el banco de la bañera bajo el sol, expuesto a las miradas del gentío. La declaración de Leonardus habrá sido contundente y explícita, pensó. De ella habrá deducido ese soldado de cejas espesas y manos de pescador que he sido yo quien la ha echado por la borda, y así se lo dirá al cabo.

Antes de subir a cubierta le había tomado las manos con tal convicción que el propio Leonardus hubo de decirle que no le pusiera las esposas —Martín sin mirar a ninguna parte había extendido las muñecas sumisamente— porque era evidente que no iba a intentar escapar y aun así no le habría sido posible huir de la isla. El soldado, sin responder, se las guardó en el cinto pero puso sobre el hombro de Martín una mano abierta, como si tomara posesión de lo que ya le pertenecía, y sin más expresión en la cara que el profundo convencimiento de que con esa mano amparaba a quien le había sido confiado, así la mantuvo durante más de una hora. Martín no se movía. Permaneció con los brazos apoyados en las rodillas levemente separadas, sin levantar la cabeza, sin mirar y sin apenas oír los contenidos sollozos de Chiqui que atravesaban la puerta de su camarote ni el murmullo de los habitantes de la isla que le miraban con el mismo respeto, sorpresa y emoción que si se les hubiera conminado a contemplar un reo y su ejecución.

Al cabo de media hora por lo menos, Leonardus salió de su camarote sin decir nada, pasó frente a ellos y saltó a tierra para volver después de diez minutos con Tom. Desde entonces, hacía más de una hora ya, apenas había aparecido por cubierta: vagaba sin saber qué hacer por la cabina y entraba y salía del camarote dando portazos. Las líneas del miedo habían desfigurado su rostro, había recuperado su verdadera edad y se había convertido en un anciano. Sí, tiene miedo, se dijo Martín, no miedo a la muerte de Andrea, ni al jefe del destacamento, ni a la investigación, ni a lo que me vaya a ocurrir en las próximas horas. Tiene miedo porque sabe que tendrá que intervenir la embajada y que no puede arreglar esta situación él solo. Quizá no era miedo, pero despojada ya el alma de su condición de condescendiente todopoderoso, amador infatigable y anfitrión perfecto afloraba el despotismo y la crueldad en la voz y la mirada y en la búsqueda de una víctima en que volcarlos. La llantina de Chiqui en el camarote no hacía sino enfurecerle. O tal vez la edad, que es implacable, había logrado lo que no pudo toda una vida al borde de la legalidad, precisamente ahora cuando creía haber alcanzado una situación definitivamente respetable, ahora que era amigo de los grandes de los pequeños mundos en los que se movía, ahora que, contrariamente a entonces, tenía algo que perder. O tal vez había conocido ese miedo indefinible que aparece sin saber por qué cuando ya quedan atrás las situaciones límite, cuando hemos estado frente a la muerte y hemos comprendido cuán cerca está también la nuestra en el transcurrir de un tiempo que no tiene espera, y aflora la vida entera, tan confusa y enmarañada, tan poco firme y tan venal que con tirar de un hilo se tambalea cuanto hemos hecho e imaginado. Martín sintió que le envolvía un odio soterrado contra él. Tranquilo, Ures, se dijo, ahora o más tarde también le llegará su hora: he visto hombres cargados de riqueza sin saber qué hacer con ella para paliar sus terrores a la soledad, hombres infieles desde la cuna y que en el umbral de la muerte son engañados a su vez por la única mujer que han amado, gentes que fanfarroneaban de salud caer exhaustos, mentes privilegiadas que hicieron de su inteligencia un alarde babear sobre un juego de niños, poderosos tiranos azotados a su vez por un miserable desvalido.

El sol estaba alto en el horizonte pero había perdido la fuerza y la contundencia de los días anteriores. La lluvia había limpiado la atmósfera de neblinas y una ligera brisa rizaba levemente la superficie de las aguas de la bahía, acristalándolas. Vacilaba el gallardete y a veces el choque de las barcas empujadas por esa ventolina tenue horadaba la mañana. El pueblo tenía un aire de fiesta que nadie habría imaginado cuando dormitaba bajo el peso del bochorno.

Hacia mediodía llegó al barco el cabo acompañado de otro soldado que le abrió el paso entre la muchedumbre arracimada en el muelle esperando a que algo ocurriera. Se acercó al custodio de Martín y le susurró en griego unas palabras que apenas provocaron un gesto de la cara, pero afianzó la mano levemente con mayor presión en el brazo de su prisionero como si defendiera su propiedad sobre él. Mientras tanto el otro se mantenía un poco apartado y hablaba con Tom, que había escogido precisamente ese día para hacer una limpieza a fondo de todos los rincones de cubierta y sacar brillo a los tensores, los ojos de buey, los chigres y los candeleros.

Martín no levantó la cabeza cuando el soldado le empujó y le hizo levantar. Ni siquiera la apartó para no topar con el toldo que por ese lado se inclinaba casi hasta la cubierta. Asomó entonces Leonardus la cabeza. Quizá por el contraste con la barba que no se había afeitado, el pelo parecía más blanco y la expresión de angustia le había convertido en una máscara de sí mismo. Sólo los ojos interrogadores tenían vida, el resto vencido, más vencido que si él hubiera sido el asesino o el muerto, había adquirido la calidad del pergamino. Pero al ver al cabo se reanimó su capacidad de organización y de mando. Fue hacia él y le habló en griego. El cabo le tendió la mano y le respondió con respeto. Sonrieron ambos como si reconocieran en el otro a su verdadero interlocutor y se sentaron a hablar y a beber un zumo de limón que les trajo Tom. El cabo hizo un gesto al soldado indicándole que esperara, y Martín sin volverse para ver lo qué ocurría se detuvo también. Cuando diez minutos más tarde se levantaron y se dieron la mano con grandes sacudidas, sonreían ambos ostentosamente y la voz de Leonardus se había transformado. Incluso el gesto había adquirido seguridad, dio una última palmada en el hombro del cabo y le acompañó a la pasarela. Y cuando llegó del muelle un grito coreado por dos o tres personas, se dirigió a Martín y le dijo: —Te han llamado asesino, ya ves. Los tienes a todos en contra. —Sin embargo ya no había acusación en la voz como hasta entonces en su mirada y se diría que había hecho gala de una cierta ironía, como si en realidad nada hubiera ocurrido y se tratara únicamente de un accidente fortuito en el que ninguno de los dos había intervenido, como si esos personajes del pueblo protestaran por minucias que de ningún modo había que tener en cuenta—. Yo iré dentro de un rato —añadió sin reserva alguna—, ahora voy a descansar, estoy rendido. —Entró en su camarote y cerró la puerta tras él.

El cabo se entretuvo aún con Tom que seguía dando lustre a los grilletes, y el soldado a una orden suya empujó levemente pero con firmeza a Martín hasta la pasarela, caminaron ambos por ella y finalmente saltaron al muelle donde se les unió el otro soldado. La multitud se había partido en dos y formaba un pasillo, y desde el balcón el matrimonio, que por ese día había renunciado a la siesta, contemplaba el espectáculo con la superioridad del prohombre que acude a la ópera en el palco de honor.

Es el testimonio de Andrea lo que les falta, pensaba Martín. Lo que ella vaya a decir. Ella es la única que me puede condenar. ¿Qué puedo hacer yo? Será siempre mi palabra contra la suya a la que sin duda apoyará Leonardus. Nada puedo negar, de nada me serviría oponerme. Lo sensato es luchar por las cosas hasta que se comprueba que no hay nada que hacer, entonces hay que abandonar. Todo menos morir en el empeño, todo menos morir. Así se sucedían y encadenaban los pensamientos pero no le afectaban, no habría podido afirmar que lo que estaba ocurriendo tuviera que ver con él. Asistía al espectáculo de la gente sin curiosidad y sin vergüenza ninguna seguía sumiso al soldado por el muelle, la plaza y el mercado y las callejas adyacentes tan distintas bajo el sol. Ni siquiera se alteró cuando vio desgajarse del grupo de personas que le seguían a la vieja de los harapos, ajena como siempre a lo que ocurría a su alrededor pero libre, no como había dicho Pepone retenida quizá de por vida en el cuartelillo para que de una forma u otra pagara por la absurda muerte del perro del Pope. No pensó en ello ahora, ni le extrañó verla descender la calle canturreando su monocorde melodía, ni habría podido comprender cuán amedrentado estuvo por ese hecho tan inocente y banal. Sabía bien a dónde iba, sabía lo que ocurriría y las consecuencias que iba a traerle el testimonio de Andrea, pero lo sabía con una forma de conocimiento racional en la que apenas intervenía el sentimiento. Tal vez sea cierto que la naturaleza pone en marcha sus propios mecanismos de supervivencia para evitar que arrastremos hasta la muerte más carga de la que somos capaces de soportar, que a fin de cuentas nos impediría llegar a su debido tiempo y con el correspondiente deterioro a nuestro inexorable e inútil final.

El hospital era en realidad un elemental ambulatorio en una pequeña casa de la segunda fila de callejas tras el mercado. No había más señal sobre la puerta que una gran cruz y una media luna rojas pintadas en un rótulo de madera sobre unas escuetas letras griegas. Las paredes recién encaladas mostraban las protuberancias del adobe pero estaban impolutas. El interior olía vagamente a desinfectante, se notaba el fresco de los edificios con gruesos muros y el silencio era más denso. Uno de los soldados le hizo sentar en un banco de la entrada, encalada también y luminosa, como si fuera la casa de otra isla o como si la isla hubiera cambiado de lugar. Y se sentaron ellos uno a cada lado, pero permanecieron tan ajenos a él como él a ellos, a su lengua y a su deteriorado uniforme.

Martín se dispuso a esperar. No tenía prisa alguna, ni inquietud, le dolía ligeramente la cabeza, de sueño probablemente, y se sentía más cansado y más débil, pero no más vulnerable. Se había atrincherado en el límite de la situación de la que, menos la muerte, lo había previsto todo, y sabía que estaba condenado. Nada pues podía sorprenderle, nada había de empeorar su condición. Sentado en el banco de madera junto a dos puertas cerradas y a pocos metros de un elemental consultorio, seguía quieto como había estado durante toda la noche aunque ahora no seguía más que el ritmo pendular de su propio pensamiento. Por esto tal vez no reconoció en la mujer que venía por el pasillo a la chica de la cola de caballo que había visto en la casa de la parra. Será la doctora que la atiende, pensó al ver de soslayo el estetoscopio que le colgaba del cuello. Ella se acercó y le miró sonriendo. Llevaba el pelo cubierto con un pañuelo anudado en la nuca y una bata blanca sin abrochar.

—¿Es usted el marido de la señora Andrea Corella? —preguntó en inglés después de leer el nombre en una ficha que sostenía en la mano.

—Sí —respondió él y levantó la vista.

—¿Español?

—Sí —repitió.

—La señora va bien, en unas pocas horas podrá salir. —Y al darse cuenta de la presencia de los soldados preguntó—: ¿Ha ocurrido algo?

—Nada —dijo él y no añadió más.

La mujer apretó los párpados para enfocar la mirada.

Pero él no la veía porque había bajado los ojos otra vez. Y aunque la hubiera mirado no la habría visto tampoco. No había lugar en su mente para otra cosa que la convicción de que iba a entrar en ese cuarto y Andrea explicaría lo ocurrido al cabo, una versión que él sería incapaz de negar. Y en consecuencia se le acusaría de asesinato. No tenía miedo, pero no podía atender a nada más.

En aquel momento alguien debió llamar a la mujer desde la enfermería porque ella hizo un gesto de asentimiento y con una cierta reticencia se fue. Sonaron los pasos en las baldosas y aún volvió la cabeza antes de meterse en la habitación.

Debían de ser las tres por lo menos cuando el cabo y Pepone llegaron al hospital. Salió a recibirles un médico anciano que se apoyaba en el brazo de la mujer. Les dio el parte del estado de Andrea y enseguida se dirigieron al cuarto que estaba junto al banco.

Habrán traído a Pepone para que haga de intérprete, pensó Martín.

Uno de los soldados abrió la puerta y le cedió el paso.

Andrea estaba sentada sobre un catre de espaldas a la ventana, un cuadrilátero de luz y de mar enmarcado por la sombría penumbra de la pieza.

El cabo acercó una silla al lado de la cama para Martín, él se situó a los pies con el doctor, la mujer y Pepone y los dos soldados un paso más atrás. Martín se sentó pero no se atrevió a mirarla y fijó la vista en las uñas moradas aún y en las manos hinchadas sobre el lienzo que a modo de sábana la cubría hasta la cintura. No podía saber tampoco qué decía su cara, ni a quién estaba mirando. Esperaba la acusación, o una pregunta, una reacción, pero Andrea callaba y también el cabo. El silencio en el cuarto encalado, un dormitorio a todas luces improvisado, era completo: no llegaban ruidos del exterior y nadie se movía en la pieza. Tenía que hablar alguien de un momento a otro, alguien había de comenzar. ¿Por qué no decía nada ella? Quizá no podía, quizá no había recuperado el habla aún y seguía con la mente inmersa en su agonía. Quizá ya no le hablaría nunca más.

No habría querido mirarla pero levantó la vista. Con la cabeza recostada en un gran almohadón sobresalían en el contraluz sus grandes ojos abiertos que ahora, sin gafas y con las ojeras oscuras que los envolvían, le devolvieron una mirada lánguida y acerada como la de los tísicos. Y con la placidez y la condescendencia que otorga la conviccion de la propia bondad, adoptó ese talante de virtud desinteresada que ya no había de abandonar jamás: posó una mano sobre la suya con una fuerza inusitada y le dijo con un hilo de voz:

—Ya todo ha pasado, corazón. —Se detuvo para presionar un poco más la mano, y añadió—: ¡Cuánto

230

sufrimiento por un simple mareo, cuánto dolor! —Y trató de incorporarse.

Pepone se volvió hacia el cabo y el médico, y como si la voz de Andrea hubiera sido la señal que estaban esperando, comenzaron a hablar todos a la vez.

Martín la vio como era ahora y como había sido, y en la doblez de su mirada violeta contempló esos rasgos plácidos cuando ya los hubiera carcomido la vejez y las arrugas cubrieran sus párpados y surcos profundos le bordearan los labios y convirtieran su boca en una línea crispada del rostro. Se vio a sí mismo frente a ella a través de la misma radiografía certera, y entre ambos el futuro que les esperaba una vez desaparecida la pasión, cuando sólo quedara para unirles la fuerza de su voluntad como queda la hiedra agarrada a los muros y a los troncos y se desvanece sobre ellos mucho después de que hayan dejado de existir.

Es cierto, las hiedras cubren los troncos de los olmos, se encaraman a ellos con un trazado de rayos jalonados de minúsculas hojas y con el tiempo se van espesando hasta dibujar en verde su perfil contra el cielo. Las líneas de sus raíces van tomando fuerza y como serpientes se enrollan en el tronco que poco a poco no podrá respirar, ni crecer, y finalmente, ni vivir, bello, sí, hermoso en su romántica figura de ser para otro, arropado en invierno y verano por hojas lustrosas, tan hermosas que ningún jardinero se atreve jamás a cortar. Con el tiempo no habrá rama ni vástago que no esté cubierto por la hiedra y las pequeñas hojas del árbol que osan salir todavía con las últimas gotas de savia que desde la raíz suben por el tronco estrangulado, se secarán mucho antes del otoño y ni la lluvia de la primavera que caerá sólo para dar lustre a la hiedra podrá reanimarlas. Así languidece el árbol. Pero poco importa a la hiedra que viva o muera porque lo único que necesita es el soporte, o la estructura, sin el cual no haría sino desparramarse por el suelo sin alcanzar altura jamás. Con él, en cambio, puede competir, trepar y lograr su mismo encumbramiento. Hasta que ahogado por ella, cederá lentamente el tronco y cuando ya ni muerto pueda sostenerse en pie, arrastrará en su caída a la hiedra, que perecerá o reptará inútilmente sobre la tierra.

Apoyó la frente sobre la mano que seguía agarrada a la suya y atónito ante su propia incapacidad de prever la reacción y las palabras de su mujer, las únicas en las que no había pensado, lloró arrimado a ella como en los tiempos del mar.

—¿Por qué no me dijiste que habías matado al perro, corazón?

Martín se incorporó incrédulo y de pronto sintió vergüenza, como si todos los presentes pudieran haber comprendido las palabras de Andrea. Pero nadie había reparado en ellas. El cabo había salido, el doctor empujaba a los soldados y a Pepone fuera de la habitación y Martín, sin apenas tener tiempo de buscar las palabras que iba a decir, se encontró en la puerta, sosteniendo aún con su mano la mano de Andrea que no quería desprenderse de la suya.

La mujer y el médico se despidieron del cabo y de Martín. El médico se quedó en el consultorio y ella siguió hacia el fondo, y cuando Martín, flanqueado aún por los soldados, ya iba a salir del hospital, al oír los pasos que se alejaban, consciente quizá de una presencia en la que no había reparado hasta ahora, torció la cabeza para buscarla ella ya había llegado al final del pasillo, había entrado en el cuarto del fondo y había cerrado la puerta sin hacer ruido.

Ya en la entrada del cuartelillo, cuando Pepone que caminaba junto a uno de los soldados le dijo que se le iba a juzgar por matar al perro del Pope, Martín creyó que no le había comprendido. En aquel momento Leonardus salía del cuartel, una réplica del hospital aunque más sucio y con la bandera azul y blanca en lugar de la cruz roja y la media luna roja. Se despedía sonriente del cabo que se les había adelantado y del Pope y les daba palmadas en la espalda como si fueran viejos amigos. Entonces le vio, se detuvo un instante y le indicó con un gesto que todo estaba arreglado. —Te espero en el barco —añadió y desapareció calle abajo.

Efectivamente, Martín fue juzgado por el cabo que hacía las veces de juez y amonestado por el Pope, y se le consideró culpable de matar al perro sin motivo alguno y aunque él alegó que lo había hecho para defenderse, no se modificó el veredicto, según tradujo Pepone, que le transmitió además el discurso al que sin duda alguna añadió gestos grandilocuentes, pausas y una oratoria que el Pope nunca habría superado. Las pruebas que se presentaron contra él se limitaban a la cartera que se había encontrado en el lugar de los hechos y a un testigo presencial cuyo nombre fue silenciado. Y se le condenó a pagar una multa de cinco mil dracmas más quinientos dracmas para recuperar la cartera y cien de gastos. O su equivalente en dólares.

Pagó con el dinero que tenía en la cartera, besó el anillo que le tendía el Pope, dio la mano al cabo, saludó a los soldados que le habían acompañado, y se dirigió a la puerta sin atinar a comprender aún el giro que habían tomado los acontecimientos ni saber exactamente qué hacer. Salió a la calle, y acostumbrado a la exigua luz del interior del cuartel el sol le deslumbró. Era cierto que estaba libre, era absolutamente cierto. Caminó hacia el muelle buscando en los bolsillos las gafas de sol, que no encontró.

233

Todavía un grupo de personas esperaba para verle pero la mayoría habían desaparecido y la plaza había recuperado la calma. En aquel momento la sirena del barco de Rodas atronó el espacio. Cuatro rezagados corrían por la pasarela con sus cestos y una mujer hablaba a gritos al hombre que la miraba desde la borda llena de pasajeros.

Todavía no había llegado a la edad en que la soledad da vértigo. Podría reanudar su historia desde el punto en que se torció, era lo suficientemente joven para volver a comenzar, no había gastado ni la mitad de su energía y tenía el talento todavía intacto.

Aulló la sirena otra vez. El motor se puso en marcha. Un marinero se asomó por la borda y comenzó a desamarrar el cabo que sostenía la pasarela y un par de grumetes recogían las defensas que colgaban como billas de los candeleros. La brisa había cedido paso al viento del norte y comenzaba a hacer fresco.

Podría saltar la pasarela en el mismo momento en que la quitaran, cuando el barco iniciara la maniobra, y una vez en Rodas elegiría su destino. Había adquirido experiencia y nombre, iría a Nueva York, o a Londres donde tenía tantos amigos, lejos de Leonardus y de Andrea y de su mundillo de éxitos locales, y dejaría atrás este viaje y la noche de agonía y el revulsivo encuentro con su propia vida y con ese otro yo que permanecerían en el trasfondo de la conciencia como un mal sueño. Podía hacerlo, estaba seguro de que podía volver a empezar.

Se acercó al muelle. Comprobó que tenía el pasaporte en un bolsillo del pantalón y en el otro la cartera con las tarjetas de crédito que el soldado le había devuelto. No recurriría al dinero que tenía en España. Empezaría desde el principio. Pero tenía que saltar ya. Tenía que hacerlo, ahora.

Un hombre en tierra soltó la amarra del primer noray, luego del otro, y las lanzó al marinero que las agarró al vuelo desde cubierta y dio una voz en griego mientras sostenía aún el cabo de la pasarela esperando la orden para soltarlo.

Sí, sería difícil pero podría. Iba a saltar, de nada serviría hacer ahora consideraciones sobre lo que dejaba atrás y lo que quería conseguir. Lo primero era estar en ese barco, saltar, eso es lo que iba a hacer y después todo sería más fácil, ahora, ya no podía esperar más.

Cuando el marinero soltó el cabo y la pasarela quedó colgando sobre el costado del casco mientras el otro la izaba desde la borda y se disponía a poner la barandilla pensó, sin mover aún los pies del suelo, que tendría tiempo si se lo propusiera, al fin y al cabo el barco no se había separado ni una braza del malecón. Pero permaneció inmóvil en el muelle con la mano en la cartera, contemplando cómo se alejaba, y para cuando se quiso dar cuenta se había deshecho el rojo estridente y apenas era más que una mancha lejana fundida con el agua. El viento del norte dibujaba líneas de espuma que recorrían como plumas la bahía y el sol que le venía de frente era limpio y poderoso y convertía en cristales sus reflejos. La mancha se desgajó del promontorio y se alejó de la mezquita para desaparecer tras ella deshaciendo la derrota que les había traído a la isla dos días antes, tan distinto el aire del que había inmovilizado al *Albatros*, tan ajeno él mismo del hombre que contempló la figura en la plazoleta para despertar letargos de tiempos olvidados.

La sed que nos atormenta en la infancia, pensó tal vez para buscar consuelo en su propia cobardía y aprender a vivir con ella, permanecerá incólume hasta el final de la vida sea cual sea el rumbo que hayamos seguido para saciarla, sea cual sea el agua que hayamos bebido en el camino. Y dando patadas a las piedras como los niños caminó lentamente por el muelle hacia el *Albatros*.

Zarparon al día siguiente al amanecer. Andrea había vuelto al barco sobre las mismas angarillas, más recuperada pero pálida y débil aún. Cenaron en cubierta bajo el toldo un pescado al horno con patatas y berenjenas, queso blanco y moras que les trajo Giorgios desde el café y dos o tres botellas de vino de resina con las que recuperaron la placidez inicial. Hasta tal punto que cuando antes de acostarse jugaron aún a ver quién podía hacer más nudos marineros, Tom ya no encontró razón alguna para dejar que ganara Andrea como había decidido al comenzar. Durmieron en paz y ni Leonardus ni Chiqui ni Martín, ni por supuesto Andrea, se levantaron en el momento de zarpar. El pueblo desierto estaba tan dormido a esa hora que al pasar ante el pontón amarrado de firme que servía de almacén ni siquiera levantaron el vuelo las gaviotas del albañal, ni sombra alguna se movió entre los sacos y las cajas. Sólo cuando Tom llevó el *Albatros* a la manga de agua del otro lado del puerto y detuvo el motor mientras llenaba el depósito casi vacío, oyó tras las ruinas que cubrían aquella ladera un canto sincopado que ascendía y descendía como si dibujara en el alba la orografía del lugar.

Fue una travesía más lenta y difícil de lo que habían previsto; navegaron contra el viento, que fue arreciando a medida que avanzaba el día y, aunque llegaron a Antalya de noche cerrada, el taxista que Leonardus había llamado desde la isla les esperaba aún y resultó ser tan experto en recorrer a toda velocidad las intrincadas curvas de la costa que logró dejarles en el aeropuerto de Marmaris con tiempo para tomar el avión de madrugada a Estambul. No perdieron la conexión de Barcelona ni la de Londres. Y cuando hacia las cinco de la tarde llegaron cada cual a su destino se dieron cuenta de que sólo llevaban cuarenta y ocho horas de retraso sobre el programa previsto.

Aquélla era una isla embrujada, habría de pensar Martín muchas veces antes de que todo cuanto había ocurrido en ella fuera forzado al olvido. Se lo decía a sí mismo, porque nadie volvió a hablar de ese viaje ni de lo que vieron, descubrieron o desvelaron. Ni siquiera cuando años después Martín rodó en la isla ya invadida por el turismo una nueva película, con guión propio esta vez, basada en su versión de la historia, la cuarta que producía Leonardus desde entonces y la séptima en el conjunto de su obra ya consagrada. Quizá Andrea y él mismo quisieron convencerse de que aquellos dos días no habían sido más que un descalabro, una distorsión, el crecimiento incontrolado de unas células que habían enloquecido sin motivo ni fin aparente cuya memoria se había desvanecido ya como se escurren los ecos entre los montes para deshacerse en la nada, porque sólo así les sería dado seguir unidos hasta el fin, perdidas sus voces en el marasmo de dolor del mundo.

Castellhorizo
agosto de 1990

Llofriu
septiembre de 1993

Este libro se acabó de imprimir
en Printer, S.A., Sant Vicenç dels Horts (Barcelona)
en el mes de febrero de 1994